FIRST READINGS IN
FRENCH LITERATURE

THE CENTURY MODERN LANGUAGE SERIES
KENNETH McKENZIE, *Editor*

FIRST READINGS IN FRENCH LITERATURE

EDITED BY

MINNIE M. MILLER, Ph. D.

Officier d'Académie
Head of Department of Modern Languages
Kansas State Teachers College of Emporia

APPLETON-CENTURY-CROFTS, INC.

NEW YORK

PRINTED IN THE UNITED STATES OF AMERICA

E–63960

TO

DR. E. P. DARGAN

OF THE

UNIVERSITY OF CHICAGO

SCHOLAR, COUNSELOR, AND FRIEND

PREFACE

This anthology is intended to give the student an acquaintance with some of the masterpieces of French literature during the second or third semester of his college work in the language. The chronological order has been followed, and each selection is preceded by a brief treatment of the author and his literary period. It is believed that, by the use of this text, the student who cannot continue his study of French beyond the earlier stages may go away with some idea of the greatness of French literature. The student who will take advanced work in French will find in the anthology an introduction to the men and movements that he will study later more in detail.

The footnotes for each selection list all words, with the exception of obvious cognates, evident derived forms, and names of characters, which are not in the first two thousand words of the Vander Beke *Word Book*. The first two thousand words were computed by the formula of frequency divided by ten plus range. After a word has been explained in the footnotes of two selections or in two acts of the Molière play, it is not repeated in the notes. However, all such words are included in the vocabulary. The spelling in all selections has been modernized except in a few cases where this would interfere with rime or rhythm. No wording has been changed in any selection and, in the few cases where selections have been reduced in length, the cutting has been indicated.

Students and teachers will find additional material on

the authors treated by consulting the following books of The Century Modern Language Series: T. R. Palfrey and W. C. Holbrook, *Medieval French Literature;* Charles R. Bagley, *An Introduction to French Literature of the Seventeenth Century;* George R. Havens, *Selections from Voltaire;* J. L. Borgerhoff, *Nineteenth Century French Plays;* G. D. Morris, *Easy French Fiction;* J. S. Galland and Roger Cros, *Nineteenth Century French Verse* and *Nineteenth Century French Prose;* Harry Kurz, *Intermediate French Grammar and Readings;* and Churchman, Le Coq and Young, *Manuel de la littérature française.*

Special thanks are due to Dr. Kenneth McKenzie, general editor of The Century Modern Language Series, for helpful suggestions and kindly guidance. Thanks are also extended to Dr. Thomas R. Palfrey of Northwestern University for permission to use his modern French version of *La Housse partie.* The Mercure de France kindly granted permission to reprint *La Salle à manger* by Francis Jammes. Thanks are extended to Miss Elizabeth Peters and Miss Evelyn Montgomery, graduate students at the Kansas State Teachers College of Emporia, for assistance in the word study. A special word of appreciation is likewise due to members of the intermediate French class at the Teachers College of Emporia, who tried out the various selections in typed form.

Emporia, Kansas   M. M.

TABLE OF CONTENTS

FIRST READINGS IN
FRENCH LITERATURE

INTRODUCTION

The American student, upon beginning his study of French, may wonder why this language holds so prominent a place in our school programs. Is it because French is the language of diplomacy? Or perhaps because La Fayette came to help in our Revolution and we sent American soldiers to France during the World War? Or do we study French because Paris is a Mecca for tourists? These factors, to be sure, may be valid reasons for learning French, but more important still is the literature for which France has been renowned since the Middle Ages. Advanced students have long enjoyed French literature. This little book aims to bring to the student of first and second-year French some of the masterpieces written in the French language, and to show him something of the development of French literature through the centuries.

All literatures tend to display national characteristics. While it is unwise to generalize too much concerning the literature of any people, it may be helpful to point out special qualities which appear frequently in French literature. In the first place, the French have concerned themselves especially with style. Beauty of expression, whether the idea be classic or modern, is a cardinal point with their best writers. Another characteristic is that French literature has followed strongly the classical tradition of Greece and Rome; and, in fact, seems to be a direct descendant of this tradition. Again, French literature is primarily social, and *salon* conversation has

3

often influenced written literature. Furthermore, French literature probably tends to divide into schools and periods more easily than does the literature of some other countries.

The beginnings of French as a written language lie back in the Middle Ages. The earliest known document in the language spoken by the people, rather than in Latin, was the Oaths of Strasbourg, sworn by the grandsons of Charlemagne in the year 842. Literature may be said to begin with the *Chanson de Roland*, probably written in the late eleventh century. This epic poem is only one of a long series telling of the great deeds of medieval French heroes. A little later than the epics come the stories of knights and ladies, called romances. Many of the romances deal with King Arthur's court, the love of Lancelot and Guinevere or of Tristan and Iseult, and the search for the Holy Grail. Such stories are common to both French and English literature, as many French books were written in England after the Norman Conquest in 1066. While the lords and ladies charmed away many idle hours in their châteaux with these romances, the bourgeois found their enjoyment in fables and *fabliaux*. The fables were little stories of animals such as those associated in ancient times with the name of Æsop. They were sometimes woven into long narratives dealing especially with the tricks played by Renard the Fox on Ysengrin the Wolf. The *fabliaux* were short stories in verse, giving realistic observations on life and sometimes pointing out a moral lesson. The theatre of the Middle Ages was religious. It had started with simple dialogues of the Easter and Christmas stories spoken at the church altar and, as time went on, these brief plays were expanded into elaborate miracle and mystery plays per-

formed in the town square. Farces were presented, sometimes between the more serious parts of a religious play.
The flowering time of medieval French literature was in
the thirteenth century in the days of Louis IX, known as
Saint Louis. These were also the early days of the University of Paris and the time of the construction of fine
Gothic cathedrals.

The Hundred Years' War in the latter part of the
fourteenth and the first part of the fifteenth century so
occupied the energy of France that little fine literature
was then produced. Toward the end of the fifteenth
century there were two important lyric poets: Charles
d'Orléans, a great lord whose son became Louis XII;
and François Villon, companion of thieves and mur-
derers.

The sixteenth century was the period of the Renaissance in France. This rebirth of interest in classical
learning and art was stimulated by the French expeditions
into Italy, starting at the end of the fifteenth century.
François I (1515–47) was a patron of letters and arts.
New forms of versification were introduced, such as the
sonnet and the ode. In the second half of the century the
group known as the Pléiade produced some fine lyric
poetry, and aimed to make French the equal of Latin as a
literary medium. Ronsard and Du Bellay are the best-
known representatives of this group. The most important prose writers of the sixteenth century are Rabelais,
whose works embody the spirit and learning of the
Renaissance, and Montaigne, one of the world's most
famous essayists. John Calvin, a Frenchman who spent
many years in Geneva as a leader of the Reformation, was
one of the first masters of the classic French prose style.

Classicism is the name given to the predominating

school of literature of the seventeenth century. Among its outstanding characteristics are (1) imitation of the writers of classical antiquity in Greece and Rome, (2) emphasis on style, (3) insistence on *raison* and *bon sens*, (4) stress on the general rather than the individual traits in man. The highest literary development of the century lay in the field of the drama. The three finest representatives of this type are Corneille, author of *Le Cid* and other important plays; Molière, the greatest writer of comedies; and Racine, who wrote tragedies that are still frequently performed. Most of the long plays were in Alexandrine verse, had five acts, and followed the unities of time, place, and action. Some of the comedies were, however, written in prose. La Fontaine's *Fables* tell of animals and, at the same time, give classic expression to the general characteristics of man. Life was essentially social in the seventeenth century, and such writings as the *Maximes* of La Rochefoucauld and the letters of Madame de Sévigné are the products of *salon* conversation.

Standards in literary taste in the seventeenth century were absolute rather than relative. With the eighteenth century there appeared in French a large body of material on such topics as government, social reform, science, etc., which had heretofore not been considered suitable for literature. Literary taste became more cosmopolitan, and English literature was praised and imitated by Voltaire and his contemporaries. The best writing of the century was done in prose, and most of the poetry was mediocre or worse. The greatest writers of the eighteenth century are Montesquieu, who wrote witty satires on Parisian life and serious works on jurisprudence; Voltaire, whose active life almost spans the century and who wrote in all literary forms; and Rousseau, the forerunner of Romanticism.

The French Revolution practically suspended literary activity from 1789 until the opening years of the nineteenth century. The Romantic movement became important in France about 1820, and its influence as a literary school continued until almost the middle of the century. Among the characteristics of Romanticism are (1) a return to lyric poetry with its themes of nature, love, and death; (2) a revival of interest in the Middle Ages and in aesthetic Christianity, as exemplified by Chateaubriand; and (3) emphasis upon the individual as contrasted with the classic emphasis on the universal traits of man. The great poets of the first half of the century are Alphonse de Lamartine, Victor Hugo, Alfred de Vigny, and Alfred de Musset. During this period Balzac produced his remarkable novels, which are forerunners of Realism.

In the latter part of the nineteenth century, excellent novels were written by such men as Flaubert, Zola, and Daudet. Maupassant was the master of the short story. These writers pictured the every-day life of the bourgeois or of the lower classes. They sometimes used case studies and documentation to aid the accuracy of their observations. The late nineteenth century also produced excellent poets, of whom Verlaine was the most original genius. His personal lyrics are still recited and sung today.

The contemporary period in French literature is difficult to define. There are many movements, and it is not yet known which ones will persist. Anatole France, who died in 1924, is an older contemporary whose works will live for the beauty of their style. Francis Jammes, poet of the humble life, shows a simple and kindly spirit. Especially since the World War, the United States has been much described by French writers, who often picture our country as the land of skyscrapers, vast prairies, movies, automobiles, and jazz, although some authors give a more penetrating appreciation of American life.

As you read the masterpieces of French literature contained in this book, you should remember the long and glorious literary tradition of France from the twelfth to the twentieth century. Read the selections aloud, whenever you can, and learn to feel the beauty of French style. Then you will understand the reason why French literature has been admired not only in France but in the entire world. This book will thus become a gateway for you to enter into a wider knowledge of French literature.

FRENCH VERSIFICATION

French poetry follows certain rules different from those which are important for English verse. There is some type of end rime in nearly all French poetry. Blank verse has never been successful in French, probably because French words do not have so strong an accent as English words. In French poetry the meter is determined by the number of syllables to the line. The most common type of classic verse is the Alexandrine or twelve-syllable line, which received its name from a medieval poem concerning Alexander the Great. The Alexandrine lines rime in couplets with masculine and feminine rimes alternating. A feminine rime is one which ends in a silent *e;* all others are masculine rimes. The Alexandrine was used for much classic French poetry, including the dramas of Corneille and Racine, and many of Molière's. The ten-syllable line was found in the old epic poetry, and much lyric poetry has been written in eight-syllable verse.

Examples for French versification may be drawn from the sonnet by Joachim du Bellay, found on page 31. The rime scheme of this sonnet is A B B A A B B A C C D E E D. *Voyage* and *âge* form a feminine rime, while *toison* and *raison* form a masculine rime. The mute *e* is counted as a separate syllable before a consonant, but not when it comes before a vowel or at the end of the line. For example, *comme* in the first line of the sonnet counts as a one-syllable word because the *e* comes before a word beginning with a vowel, *Ulysse*. In the second line

9

comme counts as a two-syllable word because it comes before a word beginning with a consonant, *celui-là.* The twelve-syllable line is divided into two parts of six syllables each. There is a caesura or pause at the end of each sixth syllable, as after *Ulysse* in the first line. Each half-line is divided into two rhythmic groups, usually arranged as follows: 2–4, 3–3, or 4–2. The first quatrain of the sonnet is divided thus:

3	3	2	4
Heu|reux | qui, |	com|m(e)_U|lyss(e), |	a|fait |	un| beau| voy| age,

2	4	3	3
Ou | com|me | ce|lui|-là |	qui | con|quit |	la | toi|son,

2	4	3	3
Et | puis | est | re|tour|né, |	plein | d'u|sa|g(e)_et |	rai|son,

1	5	2	4
Vi|vr(e)_en|tre | ses | pa|rents |	le | res|te | de | son | âge!

It will be noted that one counts only to the last accented syllable when dividing lines into rhythmic groups. For example, in the second line, *ou comme celui-là* is divided 2–4 since the mute *e* of *comme* counts with the second rhythmic group. There is usually a slight pause in the thought, often indicated by a punctuation mark, at the end of the line. Hiatus, or two vowel sounds coming together, except when one is a mute *e*, is not found in classic French versification. One does not write *qui est* in poetry, but *quel est.*

Some recent poets have tried to free themselves from the restrictions of classic French verse and have even abandoned end rime and a fixed number of syllables to the line. However, the above description of French versification will apply to all selections included in this book with the exception of the poem by Francis Jammes, who used end rime but allowed hiatus and some variation from the fixed number of syllables. Furthermore, Jammes did not believe in the necessity of rime for the eye, as the classic poets did. He uses ear rime when he rimes *bois* and *voix*.

THE MIDDLE AGES

MARIE DE FRANCE

Marie de France, the first known woman writer of French, lived in the latter part of the twelfth century. She probably spent much of her life in England and may have been the half-sister of Henry II. She wrote *lais*, sentimental stories in verse based frequently on the legends of Brittany. The *Chèvrefeuille* tells the love story of Tristan and Iseult, symbolized by the twining honeysuckle. Marie de France also wrote an *Ysopet* which recounts fables such as those related by the Greek Æsop. Many of these fables are found again in the poems of La Fontaine, who tells the story of *Le Loup et l'Agneau*, beginning with the observation: "La raison du plus fort est toujours la meilleure."

Le Loup et l'Agneau by Marie de France is from the *Ysopet* and is given here in the modern prose retelling by Petit de Julleville (*Morceaux choisis des auteurs français*, Paris, Masson, s. d., pp. 37–39). It is also found in the *Medieval French Literature: Representative Selections in Modernized Versions* by T. R. Palfrey and W. C. Holbrook, published in The Century Modern Language Series. The first eight lines have been reproduced in the Old French in order to give the student an idea of the original form.

LE LOUP ET L'AGNEAU

Ce dist dou leu e dou aignel
Qui bevoient a un rossel:
Li lox a la sorse bevoit,
E li aigniaus aval estoit.
Irieement parla li lus
Ki mult esteit cuntralius;
Par mautalent parla a lui:
« Tu m'as, » dit-il, « fet grant anui. »

15

[Ésope] dit ceci du loup [1] et de l'agneau [2] qui buvaient à un ruisseau [3]: le loup à la source buvait, et l'agneau en aval [4] était. Furieusement parla le loup, qui était fort querelleur. En colère il parla à lui: « Tu m'as, » dit-il,
5 « fait grand ennui. » L'agneau lui a répondu: « Sire, eh ! quoi ? » « Donc ne vois-tu ? Tu m'as cette eau-ci troublée; je n'en puis boire tout mon soûl; [5] aussi je m'en irai, je crois, comme je vins, tout mourant de soif. [6] » L'agnelet [7] donc répond: « Seigneur, vous buvez en
10 amont. [8] De vous me vient tout ce que j'ai bu. » « Quoi ! » fit [9] le loup, « m'insultes-tu ? » L'agneau répond: « Je n'en ai vouloir. » Le loup lui dit: « Je sais de vrai, ton père me fit même injure à cette source où j'étais avec lui, il y a six mois à présent, comme je crois. » « Pour-
15 quoi vous en prendre à moi ? » fit l'autre; « je n'étais pas né, je pense. » « Et c'est pour cela, » dit le loup; « vas-tu me démentir [10] à présent; c'est chose que tu ne dois faire. » Donc le loup prit le petit agneau, l'étrangle entre ses dents, et le tue.
20 Ainsi font les riches voleurs, [11] les vicomtes et les juges, de ceux qu'ils ont en leur jurisdiction; ils trouvent bien pour les condamner de faux prétextes par convoitise [12]; souvent ils les font citer à leurs plaids, [13] et leur arrachent la chair [14] et la peau, comme le loup fit à l'agneau.

[1] wolf [2] lamb [3] brook [4] downstream [5] drink to my heart's content [6] thirst [7] little lamb [8] upstream [9] said (past definite of *faire*, used instead of *dit* in literary style) [10] contradict [11] thieves [12] covetousness [13] pleadings, in lawsuits [14] flesh.

FABLIAUX

Another form of medieval bourgeois literature, beside the *fables*, was the *fabliaux*, short stories in verse which were especially popular in the thirteenth century. These *contes à rire* give realistic pictures of ordinary life. The subjects are usually satirical and often make fun of the priests and nobles. Sometimes a *fabliau* has a moral purpose, as *La Housse partie*, " The Saddlecloth Divided in Half," which tells the sad results of filial impiety. The authors of the *fabliaux* are not ordinarily known, although *La Housse partie* has the name of Bernier as the one who recited the verses.

La Housse partie is given in the modern French version prepared by Professor Palfrey for his *Medieval French Literature*. The first seven lines have been reproduced in the original Old French.

LA HOUSSE PARTIE

Maintenant a son pere vient,
Ce li ad dit isnelement:
« Peres, peres, alés vous ent.
Alés vous aillors porchacier.
On vous a doné a mangier   5
En cest ostel douze ans ou plus.
Mais fetes tost, si levés sus. »

[Un riche bourgeois, pour marier son fils à une fille noble, a cédé tout son avoir [1]; il vit chez ses enfants, qui sont ingrats [2] et trouvent enfin que le vieillard tarde trop

---

[1] possessions, property   [2] ungrateful

17

à mourir. La bru [3] exige que son beau-père [4] soit chassé;
le mari consent à renvoyer son pauvre père.]

> A son père il vient maintenant
> Et il lui dit rapidement:
> « Père, père, allez-vous-en !
> Allez ailleurs vous promener. [5]
>
> 5   On vous a donné à manger
> En ma maison douze ans ou plus.
> Mais faites tôt; levez-vous, sus ! [6] »
> Le père entend, durement [7] pleure,
> Souvent maudit [8] le jour et l'heure
>
> 10   Qu'il a tant au monde vécu.
> « Ah ! beau doux fils, que me dis-tu ?
> Fais-moi assez d'honneur, pour Dieu,
> Pour que je me couche en ce lieu
> Près de ta porte, sur la paille. »

[Le fils est impitoyable [9]; le vieillard se lève et
s'éloigne; avant de sortir, il supplie qu'on lui donne au
moins une couverture [10] pour se garantir [11] du froid.]

> 15   « Beau doux fils, tout le cœur me tremble,
> Et j'ai tant peur de la froidure:
> Donne-moi une couverture
> De quoi tu couvres ton cheval,
> Que le froid ne me fasse mal. »
>
> 20   L'autre veut se débarrasser, [12]
> Voit qu'il ne peut s'en délivrer [13]
> Si nulle chose il ne lui baille [14];
> Puisqu'il veut que le vieux s'en aille,

---

[3] daughter-in-law   [4] father-in-law   [5] wander, walk about   [6] On!
Come!   [7] bitterly   [8] curses   [9] pitiless   [10] coverlet   [11] protect
[12] free himself   [13] get rid of him   [14] give

Qu'on cherche son fils il commande.
L'enfant accourt quand on le mande.[15]
Dit l'enfant: « Que vous plaît, mon père ? »
« Beau fils », fait-il,[16] « ceci vas faire:
Tu dois à l'écurie [17] aller,   5
Et puis la couverture ôter
Que sur mon cheval trouveras;
A mon père la donneras. »

[L'enfant descend à l'écurie, trouve la housse,[18]
la coupe en deux moitiés, et en rapporte une. « Pourquoi
l'as-tu coupée ? » dit le père irrité. « Donne-lui au moins
les deux parts. »]

« Non, » dit l'enfant, « assurément !
De quoi donc seriez-vous payé ?   10
Je vous en garde la moitié,
Puisque je vous enverrai paître,[19]
Si je puis être un jour le maître.
Je vous en donnerai, plus tard,
Comme vous à lui, votre part.   15
Ainsi qu'il vous donna l'avoir,
Moi donc aussi je veux l'avoir.
Jamais de moi vous n'en aurez
Que tant que vous lui donnerez;
Si vous le laissez en misère,   20
Je ferai de même à mon père. »
Le père soupire [20] profondément,
Il réfléchit, il se repent.
Des paroles que l'enfant dit
Le père grand leçon prit.   25

---

[15] sends for [16] he says. *Cf.* note 9, p. 16. [17] stable [18] saddlecloth
[19] I shall send you away, i.e., to pasture [20] sighs

Vers son père il se retourna:
« Père, » fit-il, « revenez là !
C'était l'ennemi, le péché [21]
Qui pense m'avoir attrapé.[22]
5   Plaise à Dieu, cela ne peut être.
Or je vous fais seigneur et maître
De ma maison à tout jamais.[23]
Si ma femme ne veut la paix,
Si elle n'y veut consentir,
10   Je vous ferai ailleurs servir.
Et je vous dis, par saint Martin,[24]
Je ne boirai jamais de vin,
Ni ne mangerai bon morceau,
Si vous n'en avez de plus beau;
15   Vous serez en chambre chauffée [25]
Avec bon feu en cheminée;
Vous aurez robe comme moi.
Vous me fûtes de bonne foi,
Par quoi j'ai richesse et pouvoir,
20   Beau doux père, de votre avoir. »

Seigneurs, tout ceci a monstrance [26]
Et ouverte signifiance:
Qu'ainsi le fils reprend son père
Du mauvais penser où il erre.
25   Bien y doivent tous ceux penser
Qui ont enfants à marier.
Ne faites point de la manière:
Ne vous mettez pas à l'arrière,[27]
Quand vous devez être en avant;

[21] sin [22] caught [23] forever [24] fourth-century bishop of Tours. His fête is November 11. [25] warmed [26] moral lesson, demonstration (Old French) [27] behind

Ne donnez pas à l'enfant tant
Que vous n'en puissiez recouvrer.
L'on ne doit jamais s'y fier,[28]
Car les enfants sont sans pitié;
Des pères sont tôt ennuyés,   5
Car ceux-là ne peuvent s'aider.
Qui a de part autrui danger [29]
Vit au monde en fort grand ennui.
Celui qui veut nuire [30] à autrui,
Et qui au même traitement   10
A échapper plus tard s'attend,
Durement on doit l'en châtier.[31]

Cette leçon-ci fit Bernier,
Qui à la foire [32] ces vers dit.
Ce qu'il savait en faire, il fit.   15

---

[28] trust to that   [29] who is in danger because of others   [30] harm
[31] punish   [32] fair, market

CHARLES D'ORLÉANS

Charles d'Orléans (1391–1465), a member of the great house of Orléans, was the father of Louis XII. He was taken captive by the English towards the close of the Hundred Years' War and held prisoner for twenty-five years. Much of his poetry was written in prison. While he had taken part in many of the most violent struggles of his day, his poems do not tell of battle but are beautiful lyrics of love and nature. He used the artificial forms of poetry of the late Middle Ages. The best-known of his lyrics is the *Rondeau* on springtime, which has been translated into English by Longfellow and by Andrew Lang. The *rondeau*, or *rondel*, consists of thirteen lines of eight syllables, with two rimes. The first two lines are repeated as the seventh and eighth lines, and the first line is also repeated at the end. Several other poems of Charles d'Orléans are found in the *Medieval French Literature* by Palfrey and Holbrook.

RONDEAU

Le Temps a laissé son manteau
De vent, de froidure et de pluie,
Et s'est vêtu de broderie,[1]
De soleil raiant,[2] clair et beau.

5   Il n'y a bête ni oiseau
Qu'en son jargon ne chante ou crie:
« Le Temps a laissé son manteau
De vent, de froidure et de pluie. »

[1] embroidery   [2] in modern French, *rayonnant*, beaming

Rivière, fontaine et ruisseau [3]
Portent, en livrée [4] jolie,
Gouttes d'argent, d'orfèvrerie [5];
Chacun s'habille de nouveau.
Le Temps a laissé son manteau.   5

[3] brook   [4] livery   [5] jewelry (wrought by the goldsmith)

FRANÇOIS VILLON

François Villon (1431-?) was a younger contemporary of Charles d'Orléans, but led a vastly different life. Although he held the degree of Master of Arts from the University of Paris, he consorted with thieves and drunkards, was imprisoned several times and even condemned to be hanged. This decree was, however, changed to ten years' exile from Paris. No one knows his final fate. The life of Villon has appealed to many writers. There is *A Lodging for the Night*, a short story by Robert Louis Stevenson; *François Villon*, a biography by Wyndham Lewis; and *If I were King*, a well-known play. Villon's poems have been translated by Swinburne and by Dante Gabriel Rossetti.

Villon wrote a *Grand Testament* ("will") and a *Petit Testament*, works which contain not only humorous touches but lyric poetry of great depth of feeling. His most famous poem is the *Ballade des Dames du temps jadis*, taken from the *Grand Testament*. It voices the eternal theme of the certainty of death and passing of all mortal beauty and glory. Villon also wrote a pathetic *Ballade des Pendus* in which he realistically pictures those who have been hanged.

The ballade form consists of three stanzas of eight lines each, followed by an *envoi* of four lines addressed to a prince or noble patron. The refrain of one line is repeated at the end of each stanza. The same three rimes are used in each stanza with the scheme A B A B B C B C, and the *envoi* rimes B C B C. There are eight syllables in each line. The modernized spelling used in this *ballade* is the same as that in the *Medieval French Literature* by Palfrey and Holbrook.

BALLADE DES DAMES DU TEMPS JADIS

Dites-moi où, n'en quel pays,
Est Flora,[1] la belle Romaine;

[1] celebrated Roman courtesan

Archipiada,[2] ne Thaïs,[3]
Qui fut sa cousine germaine [4] ?
Écho,[5] parlant quand bruit on mène
Dessus [6] rivière ou sus [7] étang,[8]
Qui beauté eut trop plus qu'humaine ?   5
Mais où sont les neiges d'antan ! [9]

Où est la très sage Héloïs,[10]
Pour qui fut châtré,[11] et puis moyne [12]
Pierre Abélard [13] à Saint-Denis [14] ?
Pour son amour eut cette essoyne.[15]   10
Semblablement, où est la royne [16]
Qui commanda que Buridan [17]
Fût jeté en un sac en Seine ?
Mais où sont les neiges d'antan !

La reine Blanche [18] comme un lis,[19]   15
Qui chantait à voix de sirène;

[2] name of uncertain origin. It may have been that of Alcibiades, a Greek general, whose name Villon mistook for that of a woman. [3] an Egyptian courtesan of the fourth century. Her story is told in a novel by Anatole France (see p. 117). [4] first cousin [5] Greek nymph, scorned by Narcissus and turned into a rock. Her legend explains the echo. [6] over [7] upon [8] pond [9] This line is translated by Rossetti: "But where are the snows of yesteryear?" [10] Héloïse, the nun whom Abélard loved [11] Rossetti's translation is: "Lost manhood and put priesthood on" [12] *moine*, monk. The spelling in the *Ballade* has been modernized except where the end rime makes this impossible. In the time of Villon, *moyne*, *essoyne*, *royne*, and *Seine* rimed. [13] professor at the University of Paris in the twelfth century and one of the founders of the scholastic system of theology [14] abbey church near Paris. It was long the burial-place of the kings of France. Abélard retired here for a time. [15] this difficulty [16] *reine*, queen [17] professor at the University of Paris in the fourteenth century. Legend says that Buridan escaped by falling upon a straw-laden barge towed under the window by his students. The queen was probably Marguerite de Bourgogne, wife of Louis X. [18] possibly Blanche de Castille, mother of Saint Louis [19] lily

Berthe au grand pied,[20] Biétris,[21] Alis [22];
Harembourges qui tint le Maine,[23]
Et Jehanne,[24] la bonne Lorraine,
Qu'Anglais brûlèrent à Rouen;
5   Où sont-elles, Vierge souveraine [25] ?
Mais où sont les neiges d'antan !

ENVOI

Prince, n'enquérez [26] de semaine [27]
Où elles sont, ni de cet an,
Que ce refrain ne vous remène: [28]
10   Mais où sont les neiges d'antan !

---

[20] the mother of Charlemagne   [21] perhaps the wife of Hervi de
Metz in a medieval *chanson de geste*   [22] mother of Hervi de Metz
[23] probably the wife of Foulques, a twelfth-century count of Anjou.
Le Maine was her hereditary fief.   [24] Jeanne d'Arc, who was burned
at the stake in 1431.   She was born at Domremy in the province of
Lorraine.   [25] the Holy Virgin   [26] do not inquire   [27] Villon wrote *de
sepmaine*, this week.   [28] Lest this refrain should come back to you.

THE RENAISSANCE

PIERRE DE RONSARD

Pierre de Ronsard (1524–85) was the greatest lyric poet of the French Renaissance. He was a member of the sixteenth-century literary school called the Pléiade after the constellation of seven stars. These poets introduced into French verse such forms as the sonnet, ode, and elegy which were modeled on classical and Italian poetry.

Ronsard belonged to the lesser nobility and was early made a page at the French court. While still a boy he was sent on official trips to England, Scotland, and Germany. Before he was twenty he became partially deaf and retired from diplomatic service. He was the court poet in the days of Catherine de Médicis. Ronsard developed the ode and the sonnet, and unsuccessfully attempted a long epic, the *Franciade*. Today his longer poems are seldom read, but everyone knows his short poems such as those addressed to Cassandre Salviati, a proud beauty of Blois, and to Hélène de Surgères, a friend of Ronsard's later years.

Mignonne, allons voir si la rose is an *odelette* addressed to Cassandre. Ronsard's poem is one of the most beautiful examples of the theme, "Gather ye rosebuds while ye may," which is found in literature from ancient times down through the Cavalier poets of England. The use of the rose as the symbol of love and the lament on the swift passing of youth and beauty are commonplaces in literature.

A CASSANDRE

Mignonne,[1] allons voir si la rose,
Qui, ce matin, avait déclose [2]
Sa robe de pourpre [3] au soleil,

[1] darling, pretty one (a term of affection and admiration given by Ronsard to his lady) [2] unclosed (past participle of *déclore*) [8] crimson

A point perdu, cette vêprée,[4]
Les plis [5] de sa robe pourprée,
Et son teint [6] au vôtre pareil.

Las ! [7] Voyez comme en peu d'espace,
Mignonne, elle a, dessus [8] la place,
Las ! las ! ses beautés laissé choir [9] !
O vraiment marâtre [10] Nature,
Puisqu'une telle fleur ne dure
Que de matin jusques au soir !

Donc, si vous me croyez, mignonne,
Tandis que votre âge fleuronne
En sa plus verte nouveauté,
Cueillez,[11] cueillez votre jeunesse:
Comme à cette fleur, la vieillesse
Fera ternir [12] votre beauté.

Les Odes (1550–52)

---

[4] an old form for *soir* [5] folds [6] coloring, complexion [7] *hélas !*
[8] on, upon [9] fall (the modern word is usually *tomber*) [10] step-
mother (Nature is called thus because she is unkind.) [11] gather,
seize [12] tarnish, grow dull

JOACHIM DU BELLAY

Joachim du Bellay (1525*-60) was a friend of Ronsard and a member of the Pléiade. To further its literary ideas he wrote the *Défense et Illustration de la langue française*, in which he asserted that French could be made into a literary medium equal in value to Latin. He suggested various ways of enriching the language by the use of Greek and Latin words, trade terms, words from Old French and from modern foreign languages. Du Bellay visited Italy as the secretary of his cousin, the Cardinal du Bellay. Here he wrote sonnets showing his admiration for the impressive ruins of Rome. However, he felt a homesickness for the simpler beauties of his native Anjou in western France. For a discussion of the versification in Du Bellay's sonnet, see pp. 9-10.

SONNET

Heureux qui, comme Ulysse,[1] a fait un beau voyage,
Ou comme celui-là qui conquit [2] la toison,[3]
Et puis est retourné, plein d'usage [4] et raison,
Vivre entre ses parents le reste de son âge !

Quand reverrai-je, hélas ! de mon petit village
Fumer la cheminée ? et en quelle saison
Reverrai-je le clos [5] de ma pauvre maison,
Qui m'est une province et beaucoup davantage ?

* Some authorities give the date of Du Bellay's birth as 1522.
[1] Grecian hero who wandered for twenty years after the fall of Troy   [2] conquered (past definite of *conquérir*)   [3] fleece. This line refers to Jason, the Greek hero who captured the Golden Fleece.
[4] experience, knowledge of the world   [5] field around the house

Plus me plaît le séjour [6] qu'ont bâti mes aïeux [7]
Que des palais romains le front audacieux,
Plus que le marbre dur, me plaît l'ardoise [8] fine,

Plus mon Loire [9] gaulois [10] que le Tibre [11] latin,
5 Plus mon petit Liré [12] que le mont Palatin,[13]
Et plus que l'air marin la douceur angevine.[14]

Les Regrets (1558)

[6] dwelling, abode [7] ancestors [8] slate (used for roofs) [9] river in France which flows through Anjou [10] of Gaul, French [11] Tiber, river on which Rome is situated [12] native village of Du Bellay in Anjou [13] one of the seven famous hills of Rome [14] of Anjou, ancient province in western France

THE SEVENTEENTH CENTURY

FRANÇOIS DE LA ROCHEFOUCAULD

La Rochefoucauld (1613–80) was a duke and prince who had taken an active part in the Fronde, the uprising of the nobles against the Cardinal Mazarin. After this, he retired from public affairs and spent the latter years of his life in writing his *Mémoires* and in conversing with the most distinguished men and women of his day. His fame rests largely on his *Maximes*, short, highly polished observations on life. They are the product of a very intelligent but disillusioned mind. Originating as a form of entertainment in the *salons* of the seventeenth century, the *Maximes* seem as applicable today as when they were written. They are excellent examples of the tendency of French Classicism to emphasize the general and common characteristics of Man. Selections from the works of La Rochefoucauld are found in *An Introduction to French Literature of the Seventeenth Century* by Charles R. Bagley (Century Modern Language Series).

MAXIMES

19. Nous avons tous assez de force pour supporter les maux [1] d'autrui.[2]

31. Si nous n'avions point de défauts, nous ne prendrions pas tant de plaisir à en remarquer dans les autres.

89. Tout le monde se plaint de sa mémoire, et personne 5 ne se plaint de son jugement.

123. On n'aurait guère de plaisir si on ne se flattait jamais.

138. On aime mieux dire du mal de soi-même que de n'en point parler. 10

---

[1] plural of *mal*, misfortune, ailment [2] others

35

216. La parfaite valeur est de faire sans témoins ce qu'on serait capable de faire devant tout le monde.

303. Quelque bien qu'on nous dise de nous, on ne nous apprend rien de nouveau.

5   304. Nous pardonnons souvent à ceux qui nous ennuient, mais nous ne pouvons pardonner à ceux que nous ennuyons.

313. Pourquoi faut-il que nous ayons assez de mémoire de retenir jusqu'aux moindres particularités de ce qui 10 nous est arrivé, et que nous n'en ayons pas assez pour nous souvenir combien de fois nous les avons contées [3] à une même personne ?

347. Nous ne trouvons guère de gens de bon sens que ceux qui sont de notre avis.

[3] told

JEAN DE LA FONTAINE

Jean de La Fontaine (1621–95) was born at Château-Thierry in Champagne. His father settled on him the position of *maître des eaux et forêts;* but La Fontaine, always indolent and carefree, soon left his home for Paris. Many stories are told of his absent-mindedness, his inability in financial affairs, and his refusal to secure his own advancement by courting the rich and great. But his nature was kindly; and among his friends he numbered Molière; Racine, the great writer of tragedies; and the famous critic Boileau.

La Fontaine set a high standard for himself in literary style. His fame today is based chiefly on his *Fables*, which he published in twelve "books" between 1668 and 1694. These brief poems, usually about animals, give keen observations on human nature. Fables have been written in many languages from ancient times to the present, but no one has ever given finer expression to this particular literary form. La Fontaine's *Fables*, which seem like little comedies, have been learned by French school children ever since the seventeenth century. They tend more to observe the realities of life than to teach a moral lesson. La Fontaine did not ordinarily invent his stories, and most of his subjects are already found in Æsop, Marie de France, and other writers. Tales about the Fox, the Wolf, the Lamb, and other animals are well known in medieval literature.

La Fontaine used a freer form of versification than did most of his contemporaries. He employed a variety of meters and made the lines longer or shorter according to the effect which he wished to produce. *La Cigale et la Fourmi* is written in seven-syllable lines with the exception of the second line which has three syllables. It pictures the improvident singer of summer time who tries in vain to make her thrifty neighbor, the ant, share her stored-up treasures in the winter. *Le Corbeau et le Renard* shows the result of listening to flattery. It uses lines of eight, ten, and twelve syllables. Selected fables of La Fontaine are found in *An Introduction to French Literature of the Seventeenth Century* by Bagley.

LA CIGALE [1] ET LA FOURMI [2]

La Cigale, ayant chanté
   Tout l'été,
Se trouva fort dépourvue [3]
Quand la bise [4] fut venue:
Pas un seul petit morceau
De mouche [5] ou de vermisseau. [6]
Elle alla crier famine
Chez la Fourmi, sa voisine,
La priant de lui prêter
Quelque grain pour subsister [7]
Jusqu'à la saison nouvelle.
— Je vous paierai, lui dit-elle,
Avant l'août, [8] foi d'animal, [9]
Intérêt et principal.
La Fourmi n'est pas prêteuse [10]:
C'est là son moindre défaut. [11]
— Que faisiez-vous au temps chaud ?
Dit-elle à cette emprunteuse. [12]
— Nuit et jour à tout venant [13]
Je chantais, ne vous déplaise. [14]
— Vous chantiez ? j'en suis fort aise:
Eh bien ! dansez maintenant.

---

[1] grasshopper, cicada   [2] ant   [3] unprovided for   [4] cold north
wind   [5] fly   [6] small worm   [7] to live, subsist   [8] August, the har-
vest month   [9] a phrase imitating *foi de gentilhomme*, on my word as
a gentleman   [10] a lender (used in the feminine to agree with *Fourmi*)
[11] the fault she possesses the least   [12] borrower (used in the feminine
to agree with *Cigale*)   [13] comer (word formed from the present
participle of *venir*)   [14] may it not displease you

LE CORBEAU [1] ET LE RENARD [2]

Maître Corbeau, sur un arbre perché, [3]
    Tenait en son bec [4] un fromage. [5]
Maître Renard, par l'odeur alléché, [6]
    Lui tint à peu près ce langage: [7]
    — Hé! [8] bonjour, Monsieur du Corbeau. [9]   5
Que vous êtes joli! que vous me semblez beau!
    Sans mentir, [10] si votre ramage [11]
    Se rapporte [12] à votre plumage,
Vous êtes le phénix [13] des hôtes [14] de ces bois.
A ces mots le Corbeau ne se sent pas de joie [15];   10
    Et pour montrer sa belle voix,
Il ouvre un large bec, [16] laisse tomber sa proie. [17]
Le Renard s'en saisit, [18] et dit: Mon bon Monsieur,
    Apprenez que tout flatteur [19]
Vit aux dépens [20] de celui qui l'écoute: 15
Cette leçon vaut bien un fromage, sans doute.
    Le Corbeau, honteux [21] et confus,
Jura, mais un peu tard, qu'on ne l'y prendrait plus. [22]

[1] raven, crow [2] fox. Renard is the name given to the fox in the medieval French fables. [3] perched [4] beak [5] cheese [6] attracted [7] Spoke to him very nearly in this language [8] This is the salutation of the fox given to attract the crow's attention. [9] Renard addresses the *corbeau* with the aristocratic *du* before his name in order to flatter him. [10] lying [11] singing [12] corresponds [13] phœnix, a marvelous mythological bird and the only one of its kind [14] guests, inhabitants [15] forgets himself, is overcome with joy [16] He opens his beak wide [17] prey, booty [18] catches hold of it [19] flatterer [20] expense [21] ashamed [22] that they would not catch him any more at it (listening to flatterers)

MOLIÈRE

Jean-Baptiste Poquelin (1622–73), who took the name of Molière, was the greatest French writer of comedies, and perhaps the greatest comedian the world has ever known. He came from a respected bourgeois family of Paris where his father was the king's upholsterer; but from early years he manifested a passion for the theatre. He joined a group of strolling players headed by the Béjart family and for about twelve years toured the provinces. During this time of apprenticeship, Molière learned to know human nature, improved his knowledge of the stage, and began writing his own plays. His first success in Paris was *Les Précieuses ridicules*, which satirizes the over-affectation of certain society women of the time. This play took Paris by storm, and Molière soon became the court dramatist for Louis XIV. For the next fifteen years he was actor, playwright, and director of the leading company in Paris and Versailles. His wife, a younger member of the Béjart family, usually played the principal feminine parts while Molière played the title rôle in his plays. His great comedies satirize certain vices and character types of his day: the social misfit in *Le Misanthrope*, the miser in *L'Avare*, the hypocrite in *Tartuffe*, and the aspiring bourgeois in *Le Bourgeois gentilhomme*.

His last play was *Le Malade imaginaire*, a satire on doctors in which Molière, who had long suffered from the inefficiency of the doctors of his day, played the rôle of a man who pretended to be sick in order to secure the attention of his family. While on the stage Molière was stricken with a hemorrhage and died the same night. His life was perhaps more dramatic than any play he wrote. The troupe of Molière kept together after his death and became the basis of the Comédie française. Even today the programs of the Comédie française are proud to announce that the origin of their theatre dates back to Molière's troupe.

Besides his long comedies Molière wrote several farces

in the traditional French manner, full of rollicking fun and slap-stick comedy. The best example of this type is *Le Médecin malgré lui* (1666), in which Molière also satirizes doctors for their pedantry and stupidity. The play still is frequently acted on the French stage, and a movie version has been made of it.

For further study of Molière, the student should consult *An Introduction to French Literature of the Seventeenth Century* by Bagley.

LE MÉDECIN MALGRÉ LUI

ACTEURS

SGANARELLE, mari de Martine.
MARTINE, femme de Sganarelle.
M. ROBERT, voisin de Sganarelle.
VALÈRE, domestique de Géronte.
LUCAS, mari de Jacqueline.
GÉRONTE, père de Lucinde.
JACQUELINE, nourrice [1] chez Géronte, et femme de Lucas.
LUCINDE, fille de Géronte.
LÉANDRE, amant [2] de Lucinde.

ACTE I

(La scène représente une forêt.)

SCÈNE I

SGANARELLE, MARTINE *(paraissant sur le théâtre en se querellant).*

SGANARELLE.   Non, je te dis que je n'en veux rien faire, et que c'est à moi de parler et d'être le maître.

MARTINE.   Et je te dis, moi, que je veux que tu vives à ma fantaisie, et que je ne me suis point mariée avec toi pour souffrir tes fredaines[3]   5

---

[1] nurse   [2] lover   [3] pranks, jokes

SGANARELLE. Trouve-moi un faiseur [4] de fagots [5] qui sache, comme moi, raisonner des choses; qui ait servi six ans un fameux médecin, et qui ait su, dans son jeune âge, son rudiment [6] par cœur. . . . Tu fus bien
5 heureuse de me trouver.

MARTINE. Qu'appelles-tu bien heureuse de te trouver ? Un homme qui me réduit [7] à l'hôpital,[8] un débauché, un traître,[9] qui me mange tout ce que j'ai.

SGANARELLE. Tu as menti,[10] j'en bois une partie. . . .
10 MARTINE. Qui m'a ôté jusqu'au lit que j'avais.

SGANARELLE. Tu t'en lèveras plus matin.[11]

MARTINE. Enfin, qui ne laisse aucun meuble dans toute la maison.

SGANARELLE. On en déménage [12] plus aisément.[13]
15 MARTINE. Et qui, du matin jusqu'au soir, ne fait que jouer et que boire.

SGANARELLE. C'est pour ne me point ennuyer.

MARTINE. Et que veux-tu, pendant ce temps, que je fasse avec ma famille ?
20 SGANARELLE. Tout ce qu'il te plaira.

MARTINE. J'ai quatre pauvres petits enfants sur les bras.

SGANARELLE. Mets-les à terre.

MARTINE. Qui me demandent à toute heure du pain.
25 SGANARELLE. Donne-leur le fouet [14] . . . .

MARTINE. Et tu prétends, ivrogne,[15] que les choses aillent toujours de même ?

SGANARELLE. Ma femme, allons tout doucement, s'il vous plaît.

---

[4] maker [5] bundles of sticks for fire-wood [6] first Latin book
[7] reduces [8] poorhouse [9] treacherous person, traitor [10] lied
[11] earlier in the morning [12] moves, changes one's residence [13] easily
[14] whip [15] drunkard

MARTINE. Que j'endure éternellement tes insolences et tes débauches [16] ?

SGANARELLE. Ne nous emportons [17] point, ma femme.

MARTINE. Et que je ne sache pas trouver le moyen de te ranger à ton devoir ?　　　　　　　　　　　　5

SGANARELLE. Ma femme, vous savez que je n'ai pas l'âme endurante, et que j'ai le bras assez bon.

MARTINE. Je me moque de tes menaces.[18]

SGANARELLE. Ma petite femme, ma mie,[19] votre peau vous démange,[20] à votre ordinaire.[21]　　　　　10

MARTINE. Je te montrerai bien que je ne te crains nullement.

SGANARELLE. Ma chère moitié, vous avez envie de me dérober quelque chose.

MARTINE. Crois-tu que je m'épouvante [22] de tes 15 paroles ?

SGANARELLE. Doux objet de mes vœux,[23] je vous frotterai les oreilles.[24]

MARTINE. Ivrogne que tu es !

SGANARELLE. Je vous battrai.　　　　　　　　　20

MARTINE. Sac à vin !

SGANARELLE. Je vous rosserai.[25]

MARTINE. Infâme !

SGANARELLE. Je vous étrillerai.[26]

MARTINE. Traître, insolent, trompeur,[27] lâche,[28] co- 25 quin,[29] pendard,[30] voleur[31] . . . !

SGANARELLE. Ah ! vous en voulez donc ? (*Sganarelle prend un bâton et bat sa femme.*)

---

[16] debauchery, drunkenness　[17] let us not fly into a rage　[18] threats
[19] my darling　[20] itches (longing for a beating)　[21] as is customary with you　[22] I am frightened　[23] marriage vows　[24] I shall box your ears　[25] I shall thrash you　[26] I shall give you a beating
[27] deceiver, cheat　[28] coward　[29] rascal　[30] rogue　[31] thief

MARTINE (*criant*).   Ah ! ah ! ah ! ah !

SGANARELLE.   Voilà le vrai moyen de vous apaiser.[82]

SCÈNE II

M. ROBERT, SGANARELLE, MARTINE

M. ROBERT.   Holà ! holà ! holà !   Fi !   Qu'est-ce ci ? Quelle infamie !   Peste soit le coquin, de battre ainsi sa femme !

MARTINE (*les mains sur les côtés, lui parle en le faisant reculer, et à la fin lui donne un soufflet* [33]).   Et je veux qu'il me batte, moi.

M. ROBERT.   Ah ! j'y consens de tout mon cœur.

MARTINE.   De quoi vous mêlez-vous ?

M. ROBERT.   J'ai tort.

MARTINE.   Est-ce là votre affaire ?

M. ROBERT.   Vous avez raison.

MARTINE.   Voyez un peu cet impertinent, qui veut empêcher les maris de battre leurs femmes !

M. ROBERT.   Je me rétracte.

MARTINE.   Qu'avez-vous à voir là-dessus [84] ?

M. ROBERT.   Rien.

MARTINE.   Est-ce à vous d'y mettre le nez ?

M. ROBERT.   Non.

MARTINE.   Mêlez-vous de vos affaires.

M. ROBERT.   Je ne dis plus mot.

MARTINE.   Il me plaît d'être battue.

M. ROBERT.   D'accord.

MARTINE.   Ce n'est pas à vos dépens.[85]

M. ROBERT.   Il est vrai.

---

[82] calm   [33] slap   [84] upon that point, thereupon   [85] expense

MARTINE. Et vous êtes un sot [36] de venir vous fourrer [37] où vous n'avez que faire.

M. ROBERT (*Il passe ensuite vers le mari, qui pareillement* [38] *lui parle toujours en le faisant reculer, le frappe avec le même bâton et le met en fuite; il dit à la fin*). Compère,[39] je vous demande pardon de tout mon cœur. Faites, rossez, battez comme il faut votre femme; je vous aiderai, si vous le voulez.

SGANARELLE. Il ne me plaît pas, moi.

M. ROBERT. Ah! c'est une autre chose.

SGANARELLE. Je la veux battre,[40] si je le veux; et ne la veux pas battre si je ne le veux pas.

M. ROBERT. Fort bien.

SGANARELLE. C'est ma femme, et non pas la vôtre.

M. ROBERT. Sans doute.

SGANARELLE. Vous n'avez rien à me commander.

M. ROBERT. D'accord.

SGANARELLE. Je n'ai que faire de votre aide.[41]

M. ROBERT. Très volontiers.

SGANARELLE. Et vous êtes un impertinent de vous ingérer [42] des affaires d'autrui[43] . . . .

SCÈNE III

SGANARELLE, MARTINE

SGANARELLE. Oh! çà, faisons la paix nous deux. Touche là.

MARTINE. Oui, après m'avoir ainsi battue!

SGANARELLE. Cela n'est rien. Touche.

[36] fool [37] to thrust yourself in [38] likewise [39] comrade [40] The modern word order is: « Je veux la battre. » [41] I have no use for your help [42] intrude [43] others

MARTINE.   Je ne veux pas.

SGANARELLE.   Eh ?

MARTINE.   Non.

SGANARELLE.   Ma petite femme !

5   MARTINE.   Point.

SGANARELLE.   Allons, te dis-je.

MARTINE.   Je n'en ferai rien.

SGANARELLE.   Viens, viens, viens.

MARTINE.   Non.   Je veux être en colère.

10   SGANARELLE.   Fi ! c'est une bagatelle.[44]   Allons, allons.

MARTINE.   Laisse-moi là.

SGANARELLE.   Touche, te dis-je.

MARTINE.   Tu m'as trop maltraitée.[45]

15   SGANARELLE.   Hé bien ! va, je te demande pardon; mets là ta main.

MARTINE.   Je te pardonne; (*bas, à part*) mais tu le payeras.

SGANARELLE.   Tu es une folle de prendre garde à cela.
20 Ce sont petites choses qui sont de temps en temps nécessaires dans l'amitié; et cinq ou six coups de bâton, entre gens qui s'aiment, ne font que ragaillardir [46] l'affection.   Va, je m'en vais au bois, et je te promets aujourd'hui plus d'un cent de fagots.

SCÈNE IV

MARTINE (*seule*)

25   MARTINE.   Va, quelque mine que je fasse, je n'oublierai pas mon ressentiment; et je brûle en moi-même de trouver les moyens de te punir [47] des coups que tu me donnes . . . .

[44] trifle   [45] mistreated   [46] enliven   [47] punish

SCÈNE V

VALÈRE, LUCAS, MARTINE

VALÈRE (*à Lucas, sans voir Martine*). Il faut bien obéir à notre maître; et puis nous avons intérêt, l'un et l'autre, à la santé de sa fille, notre maîtresse; et sans doute son mariage, différé [48] par sa maladie, nous vaudra quelque récompense[49] 5

MARTINE (*rêvant à part, se croyant seule*). Ne puis-je point trouver quelque invention pour me venger [50] ? . . . Oui, il faut que je m'en venge, à quelque prix que ce soit. Ces coups de bâton me reviennent au cœur, . . . et. . . . (*heurtant Valère et Lucas*) Ah ! messieurs, je vous de- 10 mande pardon; je ne vous voyais pas, et cherchais dans ma tête quelque chose qui m'embarrasse.

VALÈRE. Chacun a ses soins dans le monde, et nous cherchons aussi ce que nous voudrions bien trouver.

MARTINE. Serait-ce quelque chose où je vous puisse 15 aider ?

VALÈRE. Cela se pourrait faire; et nous tâchons de rencontrer quelque habile [51] homme, quelque médecin particulier, qui pût donner quelque soulagement [52] à la fille de notre maître, attaquée d'une maladie qui lui a 20 ôté tout d'un coup l'usage de la langue. Plusieurs médecins ont déjà épuisé toute leur science après elle; mais on trouve parfois des gens avec des secrets ad- mirables, de certains remèdes particuliers, qui font le plus souvent ce que les autres n'ont su faire; et c'est là ce que 25 nous cherchons.

MARTINE (*bas, à part*). Ah ! que le ciel m'inspire une admirable invention pour me venger . . . (*haut*) Vous ne

[48] postponed [49] reward [50] avenge [51] clever [52] relief

pouviez jamais vous mieux adresser pour rencontrer ce
que vous cherchez; et nous avons ici un homme, le plus
merveilleux homme du monde, pour les maladies déses-
pérées.

5   VALÈRE.   Eh ! de grâce, où pouvons-nous le rencontrer ?

MARTINE.   Vous le trouverez maintenant vers ce
petit lieu que voilà, qui s'amuse à couper du bois.

LUCAS.   Un médecin qui coupe du bois ! . . .

10   MARTINE.   C'est un homme extraordinaire qui se plaît
à cela, fantasque,[53] bizarre, . . . et que vous ne prendriez
jamais pour ce qu'il est.   Il va vêtu d'une façon extra-
vagante, affecte quelquefois de paraître ignorant, tient sa
science renfermée, et ne fuit rien tant tous les jours que
15   d'exercer les merveilleux talents qu'il a eus du ciel pour la
médecine.

VALÈRE.   C'est une chose admirable, que tous les
grands hommes ont toujours du caprice, quelque petit
grain de folie mêlé à leur science.

20   MARTINE.   La folie de celui-ci est plus grande qu'on ne
peut croire; car elle va parfois jusqu'à vouloir être battu
pour demeurer d'accord de sa capacité; et je vous donne
avis que vous n'en viendrez point à bout; qu'il n'avouera
jamais qu'il est médecin, s'il se le met en fantaisie, que
25   vous ne preniez chacun un bâton, et ne le réduisiez, à
force de coups, à vous confesser à la fin ce qu'il vous
cachera d'abord.   C'est ainsi que nous en usons quand
nous avons besoin de lui.

VALÈRE.   Voilà une étrange folie !

30   MARTINE.   Il est vrai; mais, après cela, vous verrez
qu'il fait des merveilles.[54]

VALÈRE.   Comment s'appelle-t-il ?

[53] strange   [54] wonders

MARTINE. Il s'appelle Sganarelle . . . .

VALÈRE. Mais est-il bien vrai qu'il soit si habile que vous le dites ?

MARTINE. Comment ! C'est un homme qui fait des miracles. Il y a six mois qu'une femme fut abandonnée de 5 tous les autres médecins: on la tenait morte il y avait déjà six heures et l'on se disposait à l'ensevelir,[55] lorsqu'on y fit venir de force l'homme dont nous parlons. Il lui mit, l'ayant vue, une petite goutte de je ne sais quoi dans la bouche; et, dans le même instant, elle se leva de son 10 lit, et se mit aussitôt à [56] se promener dans sa chambre, comme si de rien n'eût été.

LUCAS. Ah ! . . .

MARTINE. Il n'y a pas trois semaines encore qu'un jeune enfant de douze ans tomba du haut du clocher [57] 15 en bas, et se brisa sur le pavé [58] la tête, les bras et les jambes. On n'y eut pas plus tôt amené notre homme, qu'il le frotta [59] par tout le corps d'un certain onguent [60] qu'il sait faire; et l'enfant aussitôt se leva sur ses pieds, et courut jouer 20

LUCAS. Ah !

VALÈRE. Il faut que cet homme-là ait la médecine universelle.

MARTINE. Qui en doute ?

LUCAS . . . . Allons vite le chercher. 25

VALÈRE. Nous vous remercions du plaisir que vous nous faites.

MARTINE. Mais souvenez-vous bien, au moins, de l'avertissement [61] que je vous ai donné . . . .

---

[55] bury [56] *se mit à*, began [57] belfry [58] pavement [59] rubbed
[60] ointment [61] information

SCÈNE VI

SGANARELLE, VALÈRE, LUCAS

SGANARELLE (*chantant derrière le théâtre*).   La, la, la.

VALÈRE.   J'entends quelqu'un qui chante, et qui coupe du bois.

5 SGANARELLE (*entrant sur le théâtre avec une bouteille à sa main, sans apercevoir Valère ni Lucas*).   La, la, la. . . . Ma foi, c'est assez travaillé pour boire un coup.[62] Prenons un peu d'haleine.[63]   (*Après avoir bu, il chante.*)

> Qu'ils sont doux,
> Bouteille jolie,
> 10   Qu'ils sont doux,
> Vos petits glougloux [64]!
> Mais mon sort ferait bien des jaloux,
> Si vous étiez toujours remplie.
> Ah! bouteille, ma mie,
> 15   Pourquoi vous videz-vous? [65] . . .

VALÈRE (*bas, à part*).   Le voilà lui-même.

LUCAS (*bas, à Valère*).   Je pense que vous dites vrai . . . .

VALÈRE.   Voyons de près.

20 SGANARELLE (*embrassant sa bouteille*).   Ah! ma petite friponne,[66] que je t'aime, mon petit bouchon.[67]   (*Il chante. Apercevant Valère et Lucas qui l'examinent, il baisse la voix.*)   Mais mon sort . . . ferait . . . bien des . . . jaloux, Si. . . (*voyant qu'on l'examine de plus près*).   Que 25 diable! à qui en veulent ces gens-là?

VALÈRE (*à Lucas*).   C'est lui assurément.   (*Sganarelle pose la bouteille à terre, et Valère se baissant pour le saluer,*

---

[62] to have a drink   [63] breath   [64] gurglings   [65] why do you get empty?   [66] rogue   [67] bottle stopper, cork

comme il croit que c'est à dessein de [68] *la prendre, il la met*
de l'autre côté; Lucas faisant la même chose que Valère,
Sganarelle reprend sa bouteille, et la tient contre son esto-
mac, avec divers gestes qui font un jeu de théâtre.)

SGANARELLE (*à part*).   Ils consultent en me regar-   5
dant. Quel dessein auraient-ils ?

VALÈRE.   Monsieur, n'est-ce pas vous qui vous ap-
pelez Sganarelle ? . . .

SGANARELLE (*se tournant vers Valère, puis vers Lucas*).
Oui et non, selon ce que vous lui voulez.   10

VALÈRE.   Nous ne voulons que lui faire toutes les
civilités que nous pourrons.

SGANARELLE.   En ce cas, c'est moi qui me nomme
Sganarelle.

VALÈRE.   Monsieur, nous sommes ravis de vous voir. 15
On nous a adressés à vous pour ce que nous cherchons;
et nous venons implorer votre aide, dont nous avons
besoin.

SGANARELLE.   Si c'est quelque chose, messieurs, qui
dépende de mon petit négoce, [69] je suis tout prêt à vous 20
rendre service (*Il se couvre.*) . . . .

VALÈRE.   Monsieur, il ne faut pas trouver étrange
que nous venions à vous; les habiles gens sont toujours recherchés, et nous sommes instruits de votre capacité.   25

SGANARELLE.   Il est vrai, messieurs, que je suis le
premier homme du monde pour faire des fagots.

VALÈRE.   Ah ! monsieur . . .

SGANARELLE.   Je n'y épargne [70] aucune chose, et les
fais d'une façon qu'il n'y a rien à dire   30

VALÈRE.   Faut-il, monsieur, qu'une personne comme
vous s'amuse à ces grossières [71] feintes,[72] s'abaisse à parler

[68] for the purpose of   [69] business   [70] spare   [71] crude   [72] pretenses

de la sorte ? qu'un homme si savant, un fameux médecin, comme vous êtes, veuille se déguiser [73] aux yeux du monde et tenir enterrés [74] les beaux talents qu'il a ?

SGANARELLE (*à part*). Il est fou.

5 VALÈRE. De grâce, monsieur, ne dissimulez point avec nous . . . .

SGANARELLE. Quoi donc ? Que me voulez-vous dire ? Pour qui me prenez-vous ?

VALÈRE. Pour ce que vous êtes, pour un grand 10 médecin.

SGANARELLE. Médecin vous-même; je ne le suis point, et je ne l'ai jamais été.

VALÈRE (*bas*). Voilà sa folie qui le tient. (*haut*) Monsieur, ne veuillez point nier [75] les choses davantage; 15 et n'en venons point, s'il vous plaît, à de fâcheuses [76] extrémités . . . .

SGANARELLE. Parbleu ! venez-en à tout ce qu'il vous plaira; je ne suis point médecin, et ne sais ce que vous me voulez dire.

20 VALÈRE (*bas*). Je vois bien qu'il faut se servir du remède. (*haut*) Monsieur, encore un coup, je vous prie d'avouer ce que vous êtes . . . .

SGANARELLE. Messieurs, en un mot autant qu'en deux mille, je vous dis que je ne suis point médecin.

25 VALÈRE. Vous n'êtes point médecin ?

SGANARELLE. Non.

LUCAS. Vous n'êtes pas médecin ?

SGANARELLE. Non, vous dis-je.

VALÈRE. Puisque vous le voulez, il faut s'y résoudre. 30 (*Ils prennent chacun un bâton et le frappent.*)

SGANARELLE. Ah ! ah ! ah ! messieurs, je suis tout ce qu'il vous plaira.

[73] to disguise himself [74] buried [75] to deny [76] troublesome

VALÈRE. Pourquoi, monsieur, nous obligez-vous à cette violence ? . . .

SGANARELLE. Que diable est ceci, messieurs ? De grâce, est-ce pour rire, ou si tous deux vous extravaguez,[77] de vouloir que je sois médecin ?   5

VALÈRE. Quoi ! vous ne vous rendez pas encore, et vous vous défendez d'être médecin ?

SGANARELLE. Diable emporte si je le suis !

LUCAS. Il n'est pas vrai que vous soyez médecin ?

SGANARELLE. Non, la peste m'étouffe. (*Ils re-* 10 *commencent à le battre.*) Ah ! ah ! Hé bien ! messieurs, oui, puisque vous le voulez, je suis médecin, je suis médecin ; apothicaire [78] encore, si vous le trouvez bon. J'aime mieux consentir à tout que de me faire assommer.[79]

VALÈRE. Ah ! voilà qui va bien, monsieur ; je suis 15 ravi de vous voir raisonnable . . . .

SGANARELLE. Mais, messieurs, dites-moi, ne vous trompez-vous point vous-mêmes ? Est-il bien assuré que je sois médecin ?

LUCAS. Oui   20

SGANARELLE. Tout de bon ?

VALÈRE. Sans doute.

SGANARELLE. Diable emporte si je le savais.

VALÈRE. Comment ! vous êtes le plus habile médecin du monde.   25

SGANARELLE. Ah ! ah ! . . .

VALÈRE. Enfin, monsieur, vous aurez contentement avec nous, et vous gagnerez ce que je voudrez, en vous laissant conduire où nous prétendons vous mener.

SGANARELLE. Je gagnerai ce que je voudrai ?   30

VALÈRE. Oui.

SGANARELLE. Ah ! je suis médecin, sans contredit.[80]

[77] talk wildly [78] druggist [79] beaten unmercifully [80] without a doubt

Je l'avais oublié, mais je m'en ressouviens. De quoi est-il question ? Où faut-il se transporter ?

VALÈRE. Nous vous conduirons. Il est question d'aller voir une fille qui a perdu la parole.

5 SGANARELLE. Ma foi, je ne l'ai pas trouvée.

VALÈRE (*bas, à Lucas*). Il aime à rire. (*A Sganarelle*) Allons, monsieur.

SGANARELLE. Sans une robe de médecin ?

VALÈRE. Nous en prendrons une....

ACTE II

(*Le théâtre représente une chambre de la maison de Géronte.*)

SCÈNE I

GÉRONTE, VALÈRE, LUCAS, JACQUELINE

10 VALÈRE. Oui, monsieur, je crois que vous serez satisfait; et nous vous avons amené le plus grand médecin du monde.... Il est un peu capricieux,...et parfois il a des moments où son esprit s'échappe, et ne paraît pas ce qu'il est.

15 LUCAS. Oui, il aime à bouffonner [1]....

VALÈRE. Mais, dans le fond, il est toute science; et bien souvent il dit des choses tout à fait relevées.

LUCAS. Quand il s'y boute,[2] il parle tout fin droit comme s'il lisait dans un livre.

20 VALÈRE. Sa réputation s'est déjà répandue ici; et tout le monde vient à lui.

GÉRONTE. Je meurs d'envie de le voir; faites-le-moi vite venir.

VALÈRE. Je le vais quérir.[3]

[1] jest [2] makes up his mind to it [3] to fetch

SCÈNE II

GÉRONTE, JACQUELINE, LUCAS

JACQUELINE.   Par ma foi, monsieur, celui-ci fera justement ce qu'ont fait les autres.   Je pense que ce sera
queussi queumi [4]; et la meilleure médecine que l'on
pourrait donner à votre fille, ce serait, selon moi, un beau
et bon mari, pour qui elle eût de l'amitié.   5

GÉRONTE.   Ouais! nourrice,[5] ma mie, vous vous
mêlez de bien des choses . . . .   Est-elle en état maintenant
qu'on s'en voulût charger avec l'infirmité qu'elle a?
Et lorsque j'ai été dans le dessein de la marier, ne s'est-
elle pas opposée à mes volontés?   10

JACQUELINE.   Je le crois bien, vous vouliez lui donner
un homme qu'elle n'aime point.   Pourquoi ne preniez-
vous ce Monsieur Léandre, qui lui touchait au cœur? . . .

GÉRONTE.   Ce Léandre n'est pas ce qu'il lui faut; il
n'a pas du bien [6] comme l'autre.   15

JACQUELINE.   Il a un oncle qui est si riche, dont il est
héritier.[7]

GÉRONTE.   Tous ces biens à venir me semblent autant
de chansons.   Il n'est rien tel que ce qu'on tient . . . .

JACQUELINE.   J'ai toujours ouï dire qu'en mariage, 20
comme ailleurs, contentement passe richesse . . . .

SCÈNE III

VALÈRE, SGANARELLE, GÉRONTE, LUCAS, JACQUELINE

VALÈRE.   Monsieur, préparez-vous.   Voici notre médecin qui entre.

[4] six of one and a half dozen of the other (Jacqueline and Lucas
use the language of the lower classes.)   [5] nurse   [6] wealth, property
[7] heir

GÉRONTE (*à Sganarelle*).   Monsieur, je suis ravi de vous voir chez moi, et nous avons grand besoin de vous.

SGANARELLE (*en robe de médecin, avec un chapeau des plus pointus* [8]).   Hippocrate [9] dit . . . que nous nous
5 couvrions tous deux.

GÉRONTE.   Hippocrate dit cela ?

SGANARELLE.   Oui.

GÉRONTE.   Dans quel chapitre,[10] s'il vous plaît ?

SGANARELLE.   Dans son chapitre . . . des chapeaux.

10 GÉRONTE.   Puisque Hippocrate le dit, il le faut faire.

SGANARELLE.   Monsieur le médecin, ayant appris les merveilleuses choses . . .

GÉRONTE.   A qui parlez-vous, de grâce ?

SGANARELLE.   A vous.

15 GÉRONTE.   Je ne suis pas médecin.

SGANARELLE.   Vous n'êtes pas médecin ?

GÉRONTE.   Non, vraiment.

SGANARELLE.   Tout de bon ?

GÉRONTE.   Tout de bon. (*Sganarelle prend un bâton,*
20 *et frappe Géronte.*)   Ah ! ah ! ah !

SGANARELLE.   Vous êtes médecin maintenant; je n'ai jamais eu d'autres licences.

GÉRONTE (*à Valère*).   Quel diable d'homme m'avez-vous là amené ? . . .

25 LUCAS.   Ne prenez pas garde à ça,[11] monsieur; ce n'est que pour rire.

GÉRONTE.   Cette raillerie [12] ne me plaît pas.

SGANARELLE.   Monsieur, je vous demande pardon de la liberté que j'ai prise.

30 GÉRONTE.   Monsieur, je suis votre serviteur.

---

[8] pointed, with a high point   [9] Hippocrates, a Greek physician of the fifth century B. C., who is called the father of medicine   [10] chapter
[11] do not mind that   [12] jesting

SGANARELLE.   Je suis fâché [13] . . . .

GÉRONTE.   Cela n'est rien.

SGANARELLE.   Des coups de bâton . . .

GÉRONTE.   Il n'y a pas de mal.

SGANARELLE.   Que j'ai eu l'honneur de vous donner. 5

GÉRONTE.   Ne parlons plus de cela.   Monsieur, j'ai
une fille qui est tombée dans une étrange maladie.

SGANARELLE.   Je suis ravi, monsieur, que votre fille
ait besoin de moi; je souhaiterais de tout mon cœur que
vous en eussiez besoin aussi, vous et toute votre famille, 10
pour vous témoigner [14] l'envie que j'ai de vous servir.

GÉRONTE.   Je vous suis obligé de ces sentiments.

SGANARELLE.   Je vous assure que c'est du meilleur de
mon âme que je vous parle.

GÉRONTE.   C'est trop d'honneur que vous me faites. 15

SGANARELLE.   Comment s'appelle votre fille ?

GÉRONTE.   Lucinde.

SGANARELLE.   Lucinde !   Ah ! beau nom à médicamenter,[15] Lucinde !

GÉRONTE.   Je m'en vais voir un peu ce qu'elle fait. 20

SGANARELLE.   Qui est cette grande femme-là ?

GÉRONTE.   C'est la nourrice d'un petit enfant que
j'ai . . . . Ah, voici ma fille.

SCÈNE IV

LUCINDE, GÉRONTE, SGANARELLE, VALÈRE, LUCAS,
JACQUELINE

SGANARELLE.   Est-ce là la malade ?

GÉRONTE.   Oui.   Je n'ai qu'elle de fille; et j'aurais 25
tous les regrets du monde, si elle venait à mourir.

---

[13] sorry   [14] prove, show   [15] for doctoring

SGANARELLE.   Qu'elle s'en garde bien.   Il ne faut pas
qu'elle meure sans l'ordonnance du médecin.

GÉRONTE.   Allons, un siège.

SGANARELLE (*assis entre Géronte et Lucinde.   A Lu-*
5 *cinde*).   Hé bien ! de quoi est-il question ? Qu'avez-vous ?
Quel est le mal que vous sentez ?

LUCINDE   (*portant sa main à sa bouche et à sa tête, et
sous son menton* [16]).   Han, hi, hon, han.

SGANARELLE.   Hé ! que dites-vous ?

10 LUCINDE (*continue les mêmes gestes*).   Han, hi, hon,
han, han, hi, hon.

SGANARELLE.   Quoi ?

LUCINDE.   Han, hi, hon.

SGANARELLE.   Han, hi, hon, han, ha.   Je ne vous
15 entends point.   Quel diable de langage est-ce là ?

GÉRONTE.   Monsieur, c'est là sa maladie.   Elle est devenue muette,[17] sans que jusques ici on en ait pu savoir la
cause; et c'est un accident qui a fait reculer son mariage.

SGANARELLE.   Et pourquoi ?

20 GÉRONTE.   Celui qu'elle doit épouser veut attendre sa
guérison pour conclure les choses.

SGANARELLE.   Et qui est ce sot-là,[18] qui ne veut pas
que sa femme soit muette ?   Plût à Dieu que la mienne
eût cette maladie !   Je me garderais bien de la vouloir
25 guérir.[19]

GÉRONTE.   Enfin, monsieur, nous vous prions d'employer tous vos soins pour la soulager [20] de son mal.

SGANARELLE.   Ah ! ne vous mettez pas en peine.
Dites-moi un peu, ce mal l'oppresse-t-il beaucoup ?

30 GÉRONTE.   Oui, monsieur.

SGANARELLE.   Tant mieux.   Sent-elle de grandes
douleurs ?

[16] chin   [17] mute   [18] that fool   [19] to cure   [20] relieve

GÉRONTE.   Fort grandes.

SGANARELLE (*à Lucinde*).   Donnez-moi votre bras.
(*A Géronte*)   Voilà un pouls [21] qui marque votre fille est
muette.

GÉRONTE.   Hé ! oui, monsieur, c'est là son mal; vous   5
l'avez trouvé tout du premier coup.

SGANARELLE.   Ah ! ah !

JACQUELINE.   Voyez comme il a deviné sa maladie !

SGANARELLE.   Nous autres grands médecins, nous
connaissons d'abord les choses.   Un ignorant aurait été 10
embarrassé, et vous eût été dire: C'est ceci, c'est cela;
mais moi, je touche au but du premier coup, et je vous
apprends que votre fille est muette.

GÉRONTE.   Oui; mais je voudrais bien que vous me
pussiez dire d'où cela vient.   15

SGANARELLE.   Il n'est rien de plus aisé.[22]   Cela vient
de ce qu'elle a perdu la parole.

GÉRONTE.   Fort bien; mais la cause, s'il vous plaît,
qui fait qu'elle a perdu la parole ?

SGANARELLE.   Tous nos meilleurs auteurs vous diront 20
que c'est l'empêchement [23] de l'action de sa langue.

GÉRONTE.   Mais encore, vos sentiments sur cet empêchement de l'action de sa langue ?

SGANARELLE.   Aristote,[24] là-dessus, dit . . . de fort belles
choses.   25

GÉRONTE.   Je le crois.

SGANARELLE.   Ah ! c'était un grand homme.

GÉRONTE.   Sans doute.

SGANARELLE.   Grand homme tout à fait . . . Pour

---

[21] pulse   [22] easy   [23] impediment, obstruction   [24] Aristotle, a
Greek philosopher of the fourth century B. C., whose scientific works
were in high repute especially before the rise of modern scientific
methods

revenir donc à notre raisonnement, je tiens que cet
empêchement de l'action de sa langue est causé par de
certaines humeurs, qu'entre nous autres savants nous
appelons humeurs peccantes,[25] c'est-à-dire ... humeurs
5 peccantes; d'autant que les vapeurs formées par les
exhalaisons des influences qui s'élèvent dans la région des
maladies, venant ... pour ainsi dire ... à ... Entendez-
vous le latin ?

GÉRONTE.   En aucune façon.

10 SGANARELLE (*se levant brusquement*).   Vous n'entendez
point le latin ?

GÉRONTE.   Non.

SGANARELLE (*en faisant diverses plaisantes [26] postures*).
Cabricias arci thuram, catalamus, singulariter, nominativo,
15 *haec musa,* la muse, *bonus, bona, bonum.   Deus sanctus,*
estne oratio latinas ?   Etiam, oui.   *Quare,* pourquoi ?
Quia substantivo, et adjectivum concordat in generi,
numerum et casus.[27]

GÉRONTE.   Ah ! que n'ai-je étudié !

20 JACQUELINE.   L'habile [28] homme que voilà.

LUCAS.   Oui, ça est si beau que je n'y entends goutte.

SGANARELLE.   Or, ces vapeurs, dont je vous parle,
venant à passer du côté gauche où est le foie,[29] au côté
droit où est le cœur .... Comprenez bien ce raisonnement,
25 je vous prie; et parce que lesdites [30] vapeurs ont une
certaine malignité [31] ... Écoutez bien ceci, je vous con-
jure [32] ....

GÉRONTE.   On ne peut pas mieux raisonner, sans
doute.   Il n'y a qu'une seule chose qui m'a choqué [33]:

---

[25] unhealthy   [26] comical   [27] The above lines are a mixture of non-
sense syllables and Latin phrases designed to impress Géronte with
Sganarelle's learning.   [28] clever   [29] liver   [30] the above mentioned
[31] evil, malignity   [32] implore   [33] shocked

c'est l'endroit du foie et du cœur. Il me semble que vous les placez autrement qu'ils ne sont; que le cœur est du côté gauche, et le foie du côté droit.

SGANARELLE. Oui, cela était autrefois ainsi; mais nous avons changé tout cela,[34] et nous faisons maintenant 5 la médecine d'une méthode toute nouvelle.

GÉRONTE. C'est ce que je ne savais pas, et je vous demande pardon de mon ignorance.

SGANARELLE. Il n'y a point de mal; et vous n'êtes pas obligé d'être aussi habile que nous. 10

GÉRONTE. Assurément. Mais, monsieur, que croyez-vous qu'il faille faire à cette maladie ?

SGANARELLE. Ce que je crois qu'il faille faire ?

GÉRONTE. Oui.

SGANARELLE. Mon avis est qu'on la remette sur son 15 lit, et qu'on lui fasse prendre, pour remède, quantité de pain trempé [35] dans du vin.

GÉRONTE. Pourquoi cela, monsieur ?

SGANARELLE. Parce qu'il y a dans le vin et le pain, mêlés ensemble, une vertu sympathique qui fait parler. 20 Ne voyez-vous pas bien qu'on ne donne autre chose aux perroquets,[36] et qu'ils apprennent à parler en mangeant de cela ?

GÉRONTE. Cela est vrai. Ah ! le grand homme ! Vite, quantité de pain et de vin. 25

SGANARELLE. Je reviendrai voir, sur le soir, en quel état elle sera . . . .

GÉRONTE. Attendez un peu, s'il vous plaît.

SGANARELLE. Que voulez-vous faire ?

GÉRONTE. Vous donner de l'argent, monsieur. 30

SGANARELLE (*tendant sa main derrière, par-dessous* [37]

---

[34] This is one of the most famous lines in which Molière satirized the ignorance of doctors. [35] soaked [36] parrots [37] underneath

sa robe, tandis que Géronte ouvre sa bourse [38]).   Je n'en
prendrai pas, monsieur.

GÉRONTE.   Monsieur.

SGANARELLE.   Point du tout.

5   GÉRONTE.   Un petit moment.

SGANARELLE.   En aucune façon.

GÉRONTE.   De grâce.

SGANARELLE.   Vous vous moquez.

GÉRONTE.   Voilà qui est fait.

10   SGANARELLE.   Je n'en ferai rien.

GÉRONTE.   Eh !

SGANARELLE.   Ce n'est pas l'argent qui me fait agir.

GÉRONTE.   Je le crois.

SGANARELLE (*après avoir pris l'argent*).   Cela est-il de
15 poids ?

GÉRONTE.   Oui, monsieur.

SGANARELLE.   Je ne suis pas un médecin mercenaire.

GÉRONTE.   Je le sais bien.

SGANARELLE.   L'intérêt ne me gouverne point.

20   GÉRONTE.   Je n'ai pas cette pensée.

SGANARELLE (*seul, regardant l'argent qu'il a reçu*).
Ma foi, cela ne va pas mal; et pourvu que [39]. . . .

SCÈNE V

LÉANDRE, SGANARELLE

LÉANDRE.   Monsieur, il y a longtemps que je vous
attends, et je viens implorer votre assistance.

25   SGANARELLE (*lui tâtant* [40] *le pouls*).   Voilà un pouls qui
est fort mauvais.

LÉANDRE.   Je ne suis point malade, monsieur, et ce
n'est pas pour cela que je viens à vous.

[38] purse   [39] provided that   [40] feeling

SGANARELLE. Si vous n'êtes pas malade, que diable ne le dites-vous donc ?

LÉANDRE. Non. Pour vous dire la chose en deux mots, je m'appelle Léandre, qui suis amoureux de Lucinde, que vous venez de visiter; et comme, par la mauvaise humeur de son père, toute sorte d'accès m'est fermé auprès d'elle, je me hasarde [41] à vous prier de vouloir servir mon amour, et de me donner lieu d'exécuter un stratagème que j'ai trouvé, pour lui pouvoir dire deux mots d'où dépendent absolument mon bonheur et ma vie.

SGANARELLE (*paraissant en colère*). Pour qui me prenez-vous ? Comment ! oser vous adresser à moi pour vous servir dans votre amour, et vouloir ravaler [42] la dignité de médecin à des emplois [43] de cette nature ?

LÉANDRE. Monsieur, ne faites point de bruit.

SGANARELLE (*en le faisant reculer*). J'en veux faire, moi. Vous êtes un impertinent.

LÉANDRE. Hé ! monsieur, doucement.

SGANARELLE. Un malavisé.[44]

LÉANDRE. De grâce.

SGANARELLE. Je vous apprendrai que je ne suis point homme à cela, et que c'est une insolence extrême. . . .

LÉANDRE (*tirant une bourse*). Monsieur. . . .

SGANARELLE. De vouloir m'employer . . . (*Recevant la bourse*). Je ne parle pas pour vous; car vous êtes honnête homme, et je serais ravi de vous rendre service. Mais il y a de certains impertinents au monde, qui viennent prendre les gens pour ce qu'ils ne sont pas; et je vous avoue que cela me met en colère.

LÉANDRE. Je vous demande pardon, monsieur, de la liberté que. . . .

[41] I venture [42] to lower [43] functions [44] indiscreet person

SGANARELLE. Vous vous moquez. De quoi est-il question ?

LÉANDRE. Vous saurez donc, monsieur, que cette maladie que vous voulez guérir est une feinte [45] maladie.
5 Les médecins ont raisonné là-dessus comme il faut; . . . mais il est certain que l'amour en est la véritable cause, et que Lucinde n'a trouvé cette maladie que pour se délivrer d'un mariage dont elle était importunée.[46] Mais de crainte qu'on ne nous voie ensemble, retirons-nous d'ici;
10 et je vous dirai en marchant ce que je souhaite de vous.

SGANARELLE. Allons, monsieur . . . .

ACTE III

(Le théâtre représente un lieu voisin de la maison de Géronte.)

SCÈNE I

LÉANDRE, SGANARELLE

LÉANDRE. Il me semble que je ne suis pas mal ainsi pour un apothicaire [1]; et comme le père ne m'a guère vu, ce changement d'habit et de perruque [2] est assez capable,
15 je crois, de me déguiser [3] à ses yeux.

SGANARELLE. Sans doute.

LÉANDRE. Tout ce que je souhaiterais serait de savoir cinq ou six grands mots de médecine pour parer mon discours et me donner l'air d'habile homme.

20 SGANARELLE. Allez, allez, tout cela n'est pas nécessaire: il suffit de l'habit; et je n'en sais pas plus que vous.

LÉANDRE. Comment !

---

[45] pretended [46] bothered

[1] druggist [2] wig [3] disguise

SGANARELLE. Diable emporte si j'entends rien en médecine ! Vous êtes honnête homme, et je veux bien me confier à vous, comme vous vous confiez à moi.

LÉANDRE. Quoi ! vous n'êtes pas effectivement...

SGANARELLE. Non, vous dis-je.... Je ne m'étais 5 jamais mêlé d'être si savant que cela; et toutes mes études n'ont été que jusqu'en sixième. Je ne sais point sur quoi cette imagination leur est venue; mais quand j'ai vu qu'à toute force ils voulaient que je fusse médecin, je me suis résolu de l'être.... Je trouve que c'est le 10 métier le meilleur de tous; car, soit qu'on fasse bien, ou soit qu'on fasse mal, on est toujours payé de même sorte.... Le bon de cette profession est qu'il y a parmi les morts une honnêteté,[4] une discrétion la plus grande du monde; et jamais on n'en voit se plaindre du médecin 15 qui l'a tué.

LÉANDRE. Il est vrai que les morts sont fort honnêtes gens sur cette matière....

SCÈNE II

SGANARELLE, LÉANDRE, GÉRONTE

GÉRONTE. Ah ! monsieur, je demandais où vous étiez.   20

SGANARELLE. Comment se porte la malade ?

GÉRONTE. Un peu plus mal depuis votre remède.

SGANARELLE. Tant mieux. C'est signe qu'il opère.[5]

GÉRONTE. Oui; mais, en opérant, je crains qu'il ne l'étouffe.   25

SGANARELLE. Ne vous mettez pas en peine; j'ai des remèdes qui se moquent de tout.

---

[4] honesty, uprightness   [5] is operating

GÉRONTE (*montrant Léandre*).   Qui est cet homme-là
que vous amenez ?

SGANARELLE (*faisant des signes avec la main, pour montrer que c'est un apothicaire*).   C'est . . . .

5   GÉRONTE.   Quoi ?

SGANARELLE.   Celui . . . .

GÉRONTE.   Hé ?

SGANARELLE.   Qui . . .

GÉRONTE.   Je vous entends.

10   SGANARELLE.   Votre fille en aura besoin.

SCÈNE III

LUCINDE, GÉRONTE, LÉANDRE, JACQUELINE,
SGANARELLE

JACQUELINE.   Monsieur, voilà votre fille qui veut un
peu marcher.

SGANARELLE.   Cela lui fera du bien.   Allez-vous-en,
monsieur l'apothicaire, tâter [6] un peu son pouls,[7] afin que
15 je raisonne tantôt avec vous de sa maladie.   (*Sganarelle
tire Géronte dans un coin du théâtre, et lui passe un bras
sur les épaules pour l'empêcher de tourner la tête du côté
où sont Léandre et Lucinde.*) Monsieur, c'est une grande
et subtile question, entre les docteurs, de savoir si les
20 femmes sont plus faciles à guérir [8] que les hommes.
Je vous prie d'écouter ceci, s'il vous plaît.   Les uns disent
que non, les autres disent que oui; et moi je dis que oui
et non . . . .

LUCINDE (*à Léandre*).   Non, je ne suis point du tout
25 capable de changer de sentiment.

GÉRONTE.   Voilà ma fille qui parle !   O grande vertu
du remède !   O admirable médecin !   Que je vous suis

[6] feel   [7] pulse   [8] cure

obligé, monsieur, de cette guérison merveilleuse ! et que
puis-je faire pour vous après un tel service ?

SGANARELLE (*se promenant sur le théâtre, et s'éventant* [9]
avec son chapeau). Voilà une maladie qui m'a bien
donné de la peine !   5

LUCINDE. Oui, mon père, j'ai recouvré la parole;
mais je l'ai recouvrée pour vous dire que je n'aurai jamais d'autre époux [10] que Léandre, et que c'est inutilement que vous voulez me donner Horace.

GÉRONTE. Mais   10

LUCINDE. Rien n'est capable d'ébranler [11] la résolution que j'ai prise.

GÉRONTE. Quoi ? . . .

LUCINDE. Vous m'opposerez en vain de belles raisons.

GÉRONTE. Si . . .   15

LUCINDE. Tous vos discours ne serviront de rien.

GÉRONTE. Je . . .

LUCINDE. C'est une chose où je suis déterminée.

GÉRONTE. Mais . . .

LUCINDE. Il n'est puissance paternelle qui me puisse 20
obliger à me marier malgré moi.

GÉRONTE. J'ai . . .

LUCINDE. Vous avez beau faire tous vos efforts.[12]

GÉRONTE. Il . . .

LUCINDE. Mon cœur ne saurait se soumettre à cette 25
tyrannie.

GÉRONTE. La . . .

LUCINDE. Et je me jetterai plutôt dans un couvent
que d'épouser un homme que je n'aime point.

GÉRONTE. Mais . . .   30

LUCINDE (*parlant d'un ton de voix à étourdir* [13]). Non.

---

[9] fanning himself   [10] husband   [11] of shaking   [12] It is useless for
you to make all these efforts.   [13] astound, deafen

En aucune façon. Point d'affaires. Vous perdez le temps. Je n'en ferai rien. Cela est résolu.

GÉRONTE. Ah ! quelle impétuosité de paroles ! Il n'y a pas moyen d'y résister. (*A Sganarelle*) Monsieur, je
5 vous prie de la faire redevenir muette.

SGANARELLE. C'est une chose qui m'est impossible. Tout ce que je puis faire pour votre service est de vous rendre sourd, si vous voulez.

GÉRONTE. Je vous remercie. (*A Lucinde*) Penses-tu
10 donc . . . ?

LUCINDE. Non, toutes vos raisons ne gagneront rien sur mon âme.

GÉRONTE. Tu épouseras Horace dès ce soir.

LUCINDE. J'épouserai plutôt la mort.

15 SGANARELLE (*à Géronte*). Mon Dieu ! arrêtez-vous, laissez-moi médicamenter [14] cette affaire. C'est une maladie qui la tient; et je sais le remède qu'il faut y apporter.

GÉRONTE. Serait-il possible, monsieur, que vous
20 pussiez aussi guérir cette maladie d'esprit ?

SGANARELLE. Oui, laissez-moi faire, j'ai des remèdes pour tout, et notre apothicaire nous servira pour cette cure. (*A Léandre*) Un mot .... Allez-vous-en lui faire faire un petit tour de jardin, ... tandis que j'entretien-
25 drai [15] ici son père; mais surtout ne perdez point de temps. Au remède, vite ! au remède spécifique !

SCÈNE IV

GÉRONTE, SGANARELLE

GÉRONTE. Avez-vous jamais vu une insolence pareille[16] à la sienne ?

SGANARELLE. Les filles sont quelquefois un peu têtues.[17]

---

[14] doctor, treat [15] I shall talk with [16] like, similar [17] stubborn

GÉRONTE. Vous ne sauriez croire comme elle est affolée [18] de ce Léandre.

SGANARELLE. La chaleur du sang fait cela dans les jeunes esprits.

GÉRONTE. Pour moi, dès que j'ai eu découvert la 5 violence de cet amour, j'ai su tenir toujours ma fille renfermée.

SGANARELLE. Vous avez fait sagement.

GÉRONTE. Et j'ai bien empêché qu'ils n'aient eu communication ensemble. 10

SGANARELLE. Fort bien.

GÉRONTE. Il serait arrivé quelque folie, si j'avais souffert qu'ils se fussent vus.

SGANARELLE. Sans doute.

GÉRONTE. Et je crois qu'elle aurait été fille à s'en 15 aller avec lui.

SGANARELLE. C'est prudemment [19] raisonné.

GÉRONTE. On m'avertit qu'il fait tous ses efforts pour lui parler.

SGANARELLE. Quel drôle ! 20

GÉRONTE. Mais il perdra son temps.

SGANARELLE. Ah ! ah !

GÉRONTE. Et j'empêcherai bien qu'il ne la voie.

SGANARELLE. Il n'a pas affaire à un sot, et vous savez des rubriques [20] qu'il ne sait pas. Plus fin que vous n'est 25 pas bête.

SCÈNE V

LUCAS, GÉRONTE, SGANARELLE

LUCAS. Ah ! monsieur, . . . votre fille s'en est enfuie avec son Léandre. C'était lui qui était l'apothicaire; et

[18] infatuated [19] discreetly [20] methods, tricks

voilà monsieur le médecin qui a fait cette belle opéra-
tion-là.

GÉRONTE. Comment ! m'assassiner de la façon !
Allons, un commissaire et qu'on empêche qu'il ne sorte.
5 Ah ! traître [21] ! je vous ferai punir par la justice.

LUCAS. Ah ! par ma foi, monsieur le médecin, vous
serez pendu; ne bougez de là seulement.

SCÈNE VI

MARTINE, SGANARELLE, LUCAS

MARTINE (*à Lucas*). Ah ! mon Dieu ! que j'ai eu de
peine à trouver ce logis ! Dites-moi un peu des nouvelles
10 du médecin que je vous ai donné.

LUCAS. Le voilà qui va être pendu.

MARTINE. Quoi ! mon mari pendu ! Hélas ! et qu'a-
t-il fait pour cela ?

LUCAS. Il a fait enlever la fille de notre maître.

15 MARTINE. Hélas ! mon cher mari, est-il bien vrai
qu'on te va pendre ?

SGANARELLE. Tu vois. Ah !

MARTINE. Faut-il que tu te laisses mourir en présence
de tant de gens ?

20 SGANARELLE. Que veux-tu que j'y fasse ?

MARTINE. Encore si tu avais achevé de couper notre
bois, je prendrais quelque consolation.

SGANARELLE. Retire-toi de là, tu me fends le cœur.[22]

MARTINE. Non; je veux demeurer pour t'encourager
25 à la mort; et je ne te quitterai point que je ne t'aie vu
pendu.

SGANARELLE. Ah !

[21] traitor   [22] you break my heart

SCÈNE VII

GÉRONTE, SGANARELLE, MARTINE

GÉRONTE (*à Sganarelle*). Le commissaire viendra
bientôt, et l'on s'en va vous mettre en lieu où l'on me
répondra de vous.

SGANARELLE (*à genoux*). Hélas ! cela ne se peut-il
point changer en quelques coups de bâton ?   5

GÉRONTE. Non, non, la justice en ordonnera. Mais,
que vois-je ?

SCÈNE VIII

GÉRONTE, LÉANDRE, LUCINDE, SGANARELLE, LUCAS,
MARTINE

LÉANDRE. Monsieur, je viens faire paraître Léandre à
vos yeux, et remettre Lucinde en votre pouvoir. Nous
avons eu dessein [23] de prendre la fuite nous deux, et de 10
nous aller marier ensemble; mais cette entreprise a fait
place à un procédé plus honnête. Je ne prétends point
vous voler votre fille, et ce n'est que de votre main que
je veux la recevoir. Ce que je vous dirai, monsieur, c'est
que je viens tout à l'heure de recevoir des lettres, par où 15
j'apprends que mon oncle est mort et que je suis héritier [24]
de tous ses biens.

GÉRONTE. Monsieur, votre vertu m'est tout à fait
considérable, et je vous donne ma fille avec la plus grande
joie du monde.   20

SGANARELLE (*à part*). La médecine l'a échappé
belle ! [25]

[23] plan, purpose   [24] heir   [25] Medicine has had a narrow escape !

MARTINE.   Puisque tu ne seras point pendu, rends-moi grâce d'être médecin; car c'est moi qui t'ai procuré cet honneur.

SGANARELLE.   Oui ! c'est toi qui m'as procuré je ne
5 sais combien de coups de bâton.

LÉANDRE (*à Sganarelle*).   L'effet en est trop beau pour en garder du ressentiment.

SGANARELLE.   Soit.   (*A Martine*) Je te pardonne ces coups de bâton en faveur de la dignité où tu m'as élevé;
10 mais prépare-toi désormais à vivre dans un grand respect avec un homme de ma conséquence, et songe que la colère d'un médecin est plus à craindre qu'on ne peut croire.

MADAME DE SÉVIGNÉ

Madame de Sévigné (1626–96) was a great lady who frequented the French court and knew most of the famous personalities of the days of Louis XIV. She wrote only *Lettres*, but these letters have remained the most interesting description of an important period in French history and literature. Most of the letters were addressed to her beloved daughter, the Comtesse de Grignan, who was married to the governor of Provence in southern France. They treat of varied subjects: new plays in Paris, ways of dressing the hair, the beauty of early spring, the death of certain important persons, etc. Many of the anecdotes which she told in her charming, conversational style have become favorites in French literature. Madame de Sévigné wrote simply and without prejudice, judging king and commoner alike with sterling good sense. Other selections from the letters of Madame de Sévigné may be found in Bagley, *An Introduction to French Literature of the Seventeenth Century.*

A MONSIEUR DE POMPONNE [1]

Lundi 1er décembre 1664

... Il faut que je vous conte une petite historiette,[2] qui est très vraie, et qui vous divertira. Le Roi se mêle depuis peu de faire des vers; MM. de Saint-Aignan [3] et Dangeau [4] lui apprennent comme il s'y faut prendre.[5] Il fit l'autre jour un petit madrigal,[6] que lui-même ne 5 trouva pas trop joli. Un matin il dit au maréchal [7] de

[1] Simon Arnaud, marquis de Pomponne (1618–99) and minister of foreign affairs under Louis XIV [2] diminutive form of *histoire* [3] courtier and man of letters (1607–87) [4] Philippe, marquis de Dangeau (1638–1720), courtier and author of *Mémoires* [5] how one must go about it [6] short poem expressing a sentimental thought [7] marshal, highest military rank in France

Gramont [8]: « Monsieur le maréchal, je vous prie, lisez ce petit madrigal, et voyez si vous en avez jamais vu un si impertinent. Parce qu'on sait que depuis peu j'aime les vers, on m'en apporte de toutes les façons. »

5 Le maréchal, après avoir lu, dit au Roi: « Sire, Votre Majesté juge divinement bien de toutes choses; il est vrai que voilà le plus sot [9] et le plus ridicule madrigal que j'aie jamais lu. »

Le Roi se mit à rire,[10] et lui dit: « N'est-il pas vrai que 10 celui qui l'a fait est bien fat [11] ? »

« Sire, il n'y a pas moyen de lui donner un autre nom. »

« Oh bien ! dit le Roi, je suis ravi que vous m'en ayez parlé si bonnement [12]; c'est moi qui l'ai fait. »

« Ah ! Sire, quelle trahison [13] ! Que Votre Majesté me 15 le rende; je l'ai lu brusquement. »

« Non, Monsieur le maréchal: les premiers sentiments sont toujours les plus naturels. »

Le Roi a fort ri de cette folie, et tout le monde trouve que voilà la plus cruelle petite chose que l'on puisse 20 faire à un vieux courtisan.[14] Pour moi, qui aime toujours à faire des réflexions, je voudrais que le Roi en fît là-dessus,[15] et qu'il jugeât par là combien il est loin de connaître jamais la vérité. . . .

[8] Antoine, duc de Gramont (1604–78), marshal of France and courtier during the time of Louis XIII and Louis XIV [9] stupid [10] began to laugh [11] conceited [12] honestly [13] treachery [14] courtier [15] upon that, upon that point

THE EIGHTEENTH CENTURY

MONTESQUIEU

Charles-Louis de Secondat, baron de Montesquieu (1689–1755), belonged to a distinguished family and was the presiding judge of the Parlement or law-court at Bordeaux. He traveled extensively in England and on the Continent and knew many famous foreigners, including Lord Chesterfield. Montesquieu's first success was the *Lettres persanes* (1721), published anonymously but soon known to be the product of his Gascon wit. It is a clever satire of French society in the last days of Louis XIV and the Regency which followed. Under the guise of two Persians who write concerning their impressions of Paris, Montesquieu criticizes the theatre, the university, the court, the café, etc. One of his best-known remarks is the definition of a *grand seigneur* as "un homme qui a des dettes, des ancêtres, et des pensions."

Montesquieu's masterpiece is the *Esprit des lois* (1748), one of the most important books of the eighteenth century. It treats the laws of a country in relation to climate, customs, race, etc. The makers of the United States Constitution were greatly influenced by the chapter concerning the division of government into executive, legislative, and judicial powers, each one of which would serve as a balance and check on the others.

LETTRES PERSANES

Lettre 37, Usbek à Ibben,[1] à Smyrne [2]

Le roi [3] de France est vieux. Nous n'avons point d'exemple dans nos histoires d'un monarque qui ait si longtemps régné. On dit qu'il possède à un très haut

[1] Two Persians, Usbek and Rica, write to their friends in Asia concerning their impressions of France. [2] Smyrna, port in Asia Minor   [3] Louis XIV, who was king of France from 1643 to 1715

degré le talent de se faire obéir : il gouverne avec le même
génie sa famille, sa cour, son état.   On lui a souvent
entendu dire que, de tous les gouvernements du monde,
celui des Turcs ou celui de notre auguste sultan lui plai-
5 rait le mieux, tant il fait cas de la politique orientale.[4]

J'ai étudié son caractère, et j'y ai trouvé des contra-
dictions qu'il m'est impossible de résoudre.   Par exemple :
il a un ministre qui n'a que dix-huit ans,[5] et une maîtresse
qui en a quatre-vingts [6] ; il aime sa religion, et il ne peut
10 souffrir ceux qui disent qu'il la faut observer à la rigueur [7] ;
quoiqu'il fuie le tumulte des villes,[8] et qu'il se communique
peu, il n'est occupé, depuis le matin jusques au soir, qu'à
faire parler de lui ; il aime les trophées et les victoires,
mais il craint autant de voir un bon général à la tête de
15 ses troupes qu'il aurait sujet de le craindre à la tête d'une
armée ennemie.   Il n'est, je crois, jamais arrivé qu'à
lui d'être, en même temps, comblé de plus de richesses
qu'un prince n'en saurait espérer , et accablé [9] d'une
pauvreté qu'un particulier ne pourrait soutenir.

20 Il aime à gratifier ceux qui le servent ; mais il paye aussi
libéralement les assiduités [10] ou plutôt l'oisiveté [11] de ses
courtisans,[12] que les campagnes laborieuses de ses capi-
taines.   Souvent il préfère un homme qui le déshabille,[13]
ou qui lui donne la serviette [14] lorsqu'il se met à table, à
25 un autre qui lui prend des villes ou lui gagne des batailles.
Il ne croit pas que la grandeur souveraine doive être

---

[4] The despotism of Louis XIV is compared with that of an oriental
monarch.   [5] Louis XIV appointed a son of the general Louvois to
be secretary of state when he was eighteen.   [6] This refers to
Mme de Maintenon who was, however, the wife of Louis XIV
although she was never queen of France.   [7] strictly   [8] Louis XIV
built the palace at Versailles which then replaced Paris as the center
of court life.   [9] weighed down   [10] attentions   [11] idleness   [12] court-
iers   [13] undresses   [14] napkin

gênée dans la distribution des grâces, et, sans examiner si celui qu'il comble de biens est homme de mérite, il croit que son choix va le rendre tel: aussi lui a-t-on vu donner une petite pension à un homme qui avait fui deux lieues,[15] et un beau gouvernement à un autre qui en avait fui 5 quatre.

Il est magnifique, surtout dans ses bâtiments: il y a plus de statues dans les jardins de son palais,[16] que de citoyens [17] dans une grande ville. Sa garde est aussi forte que celle du prince devant qui tous les trônes [18] se 10 renversent. Ses armées sont aussi nombreuses; ses ressources, aussi grandes; et ses finances, aussi inépuisables.[19]

A Paris, le 7 de la lune de Maharram,[20] 1713.

[15] leagues. A league is about two and one-half miles. [16] This phrase refers to the statues in the gardens at Versailles. [17] citizens [18] thrones [19] inexhaustible [20] January, in the Persian calendar

VOLTAIRE

The life of Voltaire (1694–1778) covers most of the eighteenth century previous to the Revolution, and he represents many of the tendencies of his time. He was the son of a wealthy bourgeois family of Paris by the name of Arouet, but he was ambitious to be considered the equal of nobles. The name, Voltaire, which he assumed, is evidence of this. He possessed a vast fortune of which he laid the foundation by speculation and by the sale of his epic poem, *La Henriade*, written in praise of Henry IV. Voltaire called himself the *éternel malade*, but he lived to be over eighty without his energy ever lessening. He was imprisoned in the Bastille on two different occasions; exiled to England for several years; then passed about fifteen years at Cirey, the home of Madame du Châtelet near the Lorraine border. In 1750 he was invited to the court of Frederick the Great of Prussia where he spent several years. In 1755 Voltaire purchased the manorial estate of Ferney near Geneva. He then became known as the Patriarch of Ferney, entertained lavishly, and received the homage of all Europe. He died in Paris, where he had gone to witness the performance of one of his plays and to receive the ovations of the people.

The genius of Voltaire lay largely in his ability to infuse life and interest into any subject he touched. His works include almost all types of literature: poems, plays, histories, essays, pamphlets, and satirical *contes*, such as *Candide*. The real masterpiece of Voltaire is probably his collected letters, numbering about ten thousand and treating a wide variety of subjects. His correspondents included kings, a pope, magistrates, priests, Protestant ministers, society ladies, and actresses.

The *Lettres philosophiques* (1734), written concerning Voltaire's visit to England, contrast the French rather unfavorably with the English in such varied matters as religious tolerance, inoculation against smallpox, commerce, the theatre, and the position given to men of letters. Publication of the *Lettres philosophiques* was not allowed in Paris, but the Amsterdam edition was eagerly read by many Frenchmen.

For further study of Voltaire, the student should consult the *Selections from Voltaire, with Explanatory Comment upon his Life and Works* by George R. Havens, published in The Century Modern Language Series. Plays by Voltaire found in the same series include an edition of *Mérope* by T. E. Oliver; and *Nanine* and *Zaïre* in the *Eighteenth-Century French Plays* by Brenner and Goodyear.

LETTRES PHILOSOPHIQUES — LETTRE IV

SUR LES QUAKERS [1]

Environ ce temps parut l'illustre Guillaume Penn,[2] qui établit la puissance des quakers en Amérique, et qui les aurait rendus respectables en Europe, si les hommes pouvaient respecter la vertu sous des apparences ridicules 5

Guillaume hérita de grands biens, parmi lesquels il se trouvait des dettes de la couronne[3] pour des avances faites par le vice-amiral[4] dans des expéditions maritimes. Rien n'était moins assuré alors que l'argent dû par le roi: Penn fut obligé d'aller tutoyer[5] Charles II[6] et ses 10 ministres plus d'une fois pour son payement. Le gouvernement lui donna, en 1680, au lieu d'argent, la propriété et la souveraineté d'une province d'Amérique: . . . voilà un quaker devenu souverain. Il partit pour ses nouveaux états avec deux vaisseaux[7] chargés de quakers 15

[1] The Quakers or Members of the Society of Friends followed strict rules of piety, had no paid ministers, used the forms "thee" and "thou," refused to take oath, and wore simple, unadorned clothes. [2] William Penn (1644–1718) was a Quaker of prominent family and the first governor of Pennsylvania. [3] crown [4] father of William Penn [5] to use the "thou" form of address [6] king of England from 1660 to 1685 [7] ships

qui le suivirent. On appela dès lors le pays Pensylvanie,[8]
du nom de Penn; il y fonda la ville de Philadelphie, qui
est aujourd'hui très florissante.   Il commença par faire
une ligue avec les Américains [9] ses voisins: c'est le seul
5 traité entre ces peuples et les chrétiens qui n'ait point été
juré et qui n'ait point été rompu. Le nouveau souverain
fut aussi le législateur de la Pensylvanie: il donna des
lois très sages, dont aucune n'a été changée depuis lui.
La première est de ne maltraiter [10] personne au sujet de
10 la religion, et de regarder comme frères tous ceux qui
croient un dieu.[11]

A peine eut-il établi son gouvernement, que plusieurs
marchands de l'Amérique vinrent peupler cette colonie.
Les naturels du pays, au lieu de fuir dans les forêts,
15 s'accoutumèrent insensiblement avec les pacifiques quakers: autant ils détestaient les autres chrétiens con-
quérants et destructeurs de l'Amérique, autant ils
aimaient ces nouveaux venus. En peu de temps un grand
nombre de ces prétendus sauvages, charmés de la douceur
20 de ces voisins, vinrent en foule demander à Guillaume
Penn de les recevoir au nombre de ses vassaux. C'était
un spectacle bien nouveau qu'un souverain que tout le
monde tutoyait, et à qui on parlait le chapeau sur la
tête, un gouvernement sans prêtres, un peuple sans
25 armes, des citoyens [12] tous égaux, à la magistrature
près,[13] et des voisins sans jalousie.

Guillaume Penn pouvait se vanter [14] d'avoir apporté
sur la terre l'âge d'or dont on parle tant, et qui n'a
vraisemblablement existé qu'en Pensylvanie.... Il resta
30 quelques années à Philadelphie, il en partit enfin malgré

---

8 Pennsylvania means "Penn's woods"   9 the Indians   10 mistreat
11 Voltaire is advocating religious tolerance.   12 citizens   13 with the
exception of the magistracy   14 boast

lui pour aller soliciter à Londres [15] des avantages nouveaux en faveur du commerce des Pensylvains: il vécut
depuis à Londres jusqu'à une extrême vieillesse, con-
sidéré comme le chef d'un peuple et d'une religion . . . .

Je ne puis deviner quel sera le sort de la religion des [5]
quakers en Amérique; mais je vois qu'elle dépérit [16] tous
les jours à Londres. Par tout pays, la religion dominante,
quand elle ne persécute point, engloutit [17] à la longue
toutes les autres. Les quakers ne peuvent être membres
du parlement, ni posséder aucun office, parce qu'il [10]
faudrait prêter serment,[18] et qu'ils ne veulent point
jurer. Ils sont réduits à la nécessité de gagner de l'argent
par le commerce; leurs enfants, enrichis par l'industrie
de leurs pères, veulent jouir, avoir des honneurs, des bou-
tons et des manchettes [19]; ils sont honteux d'être appelé [15]
quakers, et se font protestants pour être à la mode.

[15] London   [16] is declining   [17] absorbs   [18] to take oath   [19] cuffs

JEAN–JACQUES ROUSSEAU

Jean-Jacques Rousseau (1712–78) was almost the exact opposite of his contemporary, Voltaire. A native of Geneva, he spent much of his early life wandering from place to place in northern France, Switzerland, and Italy. He was always poor and ill at ease in the society of his time, preferring solitary walks to hours spent in a *salon*. He did no writing until he was nearly forty, but passed his time as a lackey, a student for the priesthood, a copyist of music, and in other occupations. All his life Rousseau was aided by his friends: Madame de Warens, who took him into her rustic home in Savoy; Madame d'Épinay, who offered him a little house on the edge of the Forest of Montmorency; Grimm and Diderot, writers of the time; and many others. But Rousseau's nature was abnormally sensitive and he often believed himself persecuted, even by his friends. His mind, in his last years, was unbalanced.

Rousseau's most famous works are *La Nouvelle Héloïse*, a sentimental novel in the form of letters such as had been used by Richardson in England; *Le Contrat social*, emphasizing the sovereignty of the people and serving as the basis for many of the theories of the French Revolution; *Émile*, a book on education which suggested that experience should replace study in books; and *Les Confessions*, his autobiography. Although these works appear to be on widely different subjects, all show Rousseau's romantic characteristics, his individuality, subjectivity, love of nature, and strong emotionalism.

It has been said that there is nothing in Rousseau which is not Romantic, and nothing in Romanticism which is not already in Rousseau. The first part of *Les Confessions* tells of his early life, in his home, at school, and with Madame de Warens. Nature and the emotions are emphasized. Rousseau, looking back on his childhood, obviously idealized the happiness of those days just as he magnified, in the latter part of *Les Confessions*, the persecution and suffering in his mature years. His rhythmical

prose style sounded a new note in French literature and foretold
the coming revival of lyric poetry. The student will find selections from Rousseau, an important precursor of Romanticism,
in *Nineteenth-Century French Prose* by Galland and Cros, published in The Century Modern Language Series.

L'IDYLLE [1] DES CERISES [2]

(Samedi le 1er juillet 1730) [3]

L'aurore [4] un matin me parut si belle, que m'étant
habillé précipitamment [5] je me hâtai [6] de gagner la
campagne pour voir lever le soleil. Je goûtai ce plaisir
dans tout son charme; c'était la semaine après la Saint-
Jean. [7] La terre, dans sa plus grande parure, [8] était cou- 5
verte d'herbes et de fleurs; les rossignols, [9] presque à la
fin de leur ramage, [10] semblaient se plaire à le renforcer [11];
tous les oiseaux, faisant en concert leurs adieux au printemps, chantaient la naissance d'un beau jour d'été,
d'un de ces beaux jours qu'on ne voit plus à mon âge. 10

Je m'étais insensiblement éloigné de la ville, la chaleur
augmentait, et je me promenais sous des ombrages [12]
dans un vallon [13] le long d'un ruisseau. J'entends derrière
moi des pas de chevaux et des voix de filles qui semblaient
embarrassées, mais qui n'en riaient pas de moins bon 15
cœur. Je me retourne; on m'appelle par mon nom;
j'approche, je trouve deux jeunes personnes de ma connaissance, mademoiselle de Graffenried et mademoiselle
Galley; qui, n'étant pas d'excellentes cavalières, [14] ne

[1] idyll (description of simple pastoral scenes or events)   [2] cherries
[3] This incident took place near Annecy, the home of Mme de
Warens in Savoy.   [4] dawn   [5] hurriedly   [6] hastened   [7] *la fête de
Saint Jean*, celebrated on June 24   [8] finery   [9] nightingales   [10] warbling   [11] augment   [12] shade, shadows   [13] small valley   [14] horse-
women

savaient comment forcer leurs chevaux à passer le ruisseau. Mademoiselle de Graffenried était une jeune Bernoise [15] fort aimable. . . . Mademoiselle Galley, d'un an
plus jeune qu'elle, était encore plus jolie; elle avait je ne
5 sais quoi de plus délicat, de plus fin; elle était en même
temps très mignonne [16] et très formée. . . . Toutes deux
s'aimaient tendrement, et leur bon caractère à l'une et à
l'autre ne pouvait qu'entretenir [17] longtemps cette union,
si quelque amant ne venait pas la déranger. Elles me
10 dirent qu'elles allaient à Toune, vieux château apparte-
nant à madame Galley; elles implorèrent mon secours
pour faire passer leurs chevaux, n'en pouvant venir à
bout elles seules. . . . Je pris par la bride [18] le cheval de
mademoiselle Galley, puis le tirant après moi, je tra-
15 versai le ruisseau, ayant de l'eau jusqu'à mi-jambe, et
l'autre cheval suivit sans difficulté. Cela fait, je voulus
saluer ces demoiselles, et m'en aller; . . . elles se dirent
quelques mots tout bas; et mademoiselle de Graffenried
s'adressant à moi: « Non pas, non pas, me dit-elle, on ne
20 m'échappe pas comme cela. Vous vous êtes mouillé
pour notre service, et nous devons en conscience avoir soin
de vous sécher [19]; il faut, s'il vous plaît, venir avec nous;
nous vous arrêtons prisonnier. » Le cœur me battait, je
regardais mademoiselle Galley. « Oui, oui, ajouta-t-elle
25 en riant de ma mine effarée,[20] prisonnier de guerre;
montez en croupe [21] derrière elle; nous voulons rendre
compte de vous. » « Mais, mademoiselle, je n'ai point
l'honneur d'être connu de madame votre mère: que
dira-t-elle en me voyant arriver ? » « Sa mère, reprit
30 mademoiselle de Graffenried, n'est pas à Toune, nous

[15] from Berne, a city and canton in Switzerland   [16] dainty
[17] maintain [18] bridle [19] dry [20] frightened [21] on the crupper of
the horse

sommes seules, nous revenons ce soir, et vous reviendrez avec nous. »

L'effet de l'électricité n'est pas plus prompt que celui que ces mots firent sur moi. En m'élançant sur le cheval de mademoiselle de Graffenried, je tremblais de joie [5] quand il fallut l'embrasser pour me tenir, le cœur me battait si fort qu'elle s'en aperçut. . . .

La gaieté du voyage et le babil [22] de ces filles aiguisè-rent [23] tellement le mien, que jusqu'au soir, et tant que nous fûmes ensemble, nous ne déparlâmes [24] pas un [10] moment. Elles m'avaient mis si bien à mon aise, que ma langue parlait autant que mes yeux, quoiqu'elle ne dît pas les mêmes choses. Quelques instants seulement, quand je me trouvais tête-à-tête avec l'une ou l'autre, l'entretien s'embarrassait un peu; mais l'absente re- [15] venait bien vite, et ne nous laissait pas le temps d'éclair-cir [25] cet embarras.

Arrivés à Toune, et moi bien séché, nous déjeunâmes. Ensuite il fallut procéder à l'importante affaire de pré-parer le dîner. Les deux demoiselles, tout en cuisinant,[26] [20] baisaient [27] de temps en temps les enfants de la gran-gère [28]. . . . On avait envoyé des provisions de la ville, et il y avait de quoi faire un très bon dîner, surtout en friandises,[29] mais malheureusement on avait oublié du vin. . . . Je leur dis de n'en pas être si fort en peine, et [25] qu'elles n'avaient pas besoin de vin pour m'enivrer.[30] Ce fut la seule galanterie que j'osai leur dire de la journée; mais je crois de reste que les friponnes [31] voyaient que cette galanterie était une vérité.

Nous dînâmes dans la cuisine de la grangère, les deux [30]

---

[22] chatter [23] sharpened [24] we did not cease talking [25] enlighten, explain [26] cooking [27] kissed [28] farmer's wife (local word) [29] tit-bits, dainties [30] to intoxicate me [31] mischievous girls

amies assises sur des bancs aux deux côtés de la longue
table, et leur hôte [32] entre elles deux sur une escabelle [33] à
trois pieds. Quel dîner ! quel souvenir plein de charmes !
Comment, pouvant à si peu de frais goûter des plaisirs si
5 purs et si vrais, vouloir en rechercher d'autres ? Jamais
souper [34] des petites maisons de Paris n'approcha de ce
repas. . . .

Après le dîner nous fîmes une économie: au lieu de
prendre le café qui nous restait du déjeuner, nous le
10 gardâmes pour le goûter avec de la crème et des gâ-
teaux [35] qu'elles avaient apportés; et pour tenir notre
appétit en haleine,[36] nous allâmes dans le verger [37]
achever notre dessert avec des cerises. Je montai sur
l'arbre, et je leur en jetais des bouquets dont elles me
15 rendaient les noyaux [38] à travers les branches. . . . Je me
disais en moi-même: Que mes lèvres ne sont-elles des
cerises ! comme je les leur jetterais ainsi de bon cœur !

La journée se passa de cette sorte à folâtrer [39] avec la
plus grande liberté, et toujours avec la plus grande
20 décence. Pas un seul mot équivoque,[40] pas une seule
plaisanterie [41] hasardée [42]: et cette décence, nous ne nous
l'imposions point du tout, elle venait toute seule, nous
prenions le ton que nous donnaient nos cœurs. Enfin
ma modestie, d'autres diront ma sottise,[43] fut telle, que la
25 plus grande privauté [44] qui m'échappa fut de baiser une
seule fois la main de mademoiselle Galley. . . .

Enfin elles se souvinrent qu'il ne fallait pas [45] attendre
la nuit pour rentrer en ville. Il ne nous restait que le
temps qu'il fallait pour y arriver de jour, et nous hâtâmes
30 de partir en nous distribuant comme nous étions venus.

---

[32] guest　[33] stool　[34] supper　[35] cakes　[36] to keep our appetite up
[37] orchard　[38] stones (of fruits)　[39] in frolicking　[40] questionable
[41] jest　[42] risky　[43] stupidity　[44] familiarity　[45] that we must not

Si j'avais osé, j'aurais transposé cet ordre; car le regard de mademoiselle Galley m'avait vivement ému le cœur; mais je n'osais rien dire, et ce n'était pas à elle de le proposer. En marchant nous disions que la journée avait tort de finir; mais, loin de nous plaindre qu'elle eût été 5 courte, nous trouvâmes que nous avions eu le secret de la faire longue, par tous les amusements dont nous avions su la remplir.

Je les quittai à peu près au même endroit où elles m'avaient pris. Avec quel regret nous nous séparâmes ! 10 Avec quel plaisir nous projetâmes [46] nous revoir ! Douze heures passées ensemble nous valaient des siècles de familiarité. . . . Il me semblait en les quittant que je ne pourrais plus vivre sans l'une et sans l'autre. Qui m'eût dit que je ne les reverrais de ma vie, et que là finiraient 15 nos éphémères [47] amours ?

Les Confessions

[46] we planned   [47] short-lived

THE NINETEENTH CENTURY

CHATEAUBRIAND

François-René de Chateaubriand (1768–1848) belonged to a noble family whose ancestral château was at Combourg on the coast of Brittany. In his *Mémoires d'Outre-Tombe* Chateaubriand tells of his life here with a gloomy father and an unsympathetic mother. He found a companion in his sister Lucile, and their childish imaginings filled the castle with fantastic stories of by-gone days.

As a young man, Chateaubriand was an officer in the royal army. In 1791 he left France to visit the new republic of the United States and to search for the northwest passage to India. Although he did not accomplish his purpose, Chateaubriand received in America the inspiration for his impressive descriptions of the forests of the New World. *Atala* (1801), his best-known story, is a sentimental tale of an Indian maiden and her lover in the primeval forests near the Mississippi.

The French Revolution profoundly influenced the life of Chateaubriand. On his return to France from America, he joined the army of the *émigrés*, was wounded, and then lived in England for some years. His *Génie du Christianisme* (1802), in defense of the aesthetic values of Christianity, appeared at the same time that Napoleon signed the Concordat with the pope, restoring Catholicism as the state religion. Later Chateaubriand attacked Napoleon and helped bring about his downfall. Under the Restoration he held important positions, such as ambassador to England and minister of foreign affairs. During the time of Louis-Philippe (1830–48), he lived in retirement, writing his *Mémoires*. His life spans the entire period of Romanticism, of which he was a distinguished representative because of his love of nature, his power of imagination, his interest in the Middle Ages and in far-away lands, and his melancholy and restless pessimism, known as the *mal du siècle* or the *mal de René*. For further study of Chateaubriand the student may consult *Nineteenth Century French Prose* by Galland and Cros.

LE CHATEAU DE COMBOURG

A mon retour de Brest,[1] quatre maîtres (mon père, ma
mère, ma sœur et moi) habitaient le château de Combourg.[2]   Une cuisinière,[3] une femme de chambre, deux
laquais et un cocher [4] composaient tout le domestique;
5 un chien de chasse et deux vieilles juments [5] étaient re-
tranchés [6] dans un coin de l'écurie.[7]   Ces douze êtres vi-
vants disparaissaient dans un manoir où l'on aurait à
peine aperçu cent chevaliers,[8] leurs dames, leurs écuyers,[9]
leurs varlets,[10] les destriers [11] et la meute [12] du roi Dago-
10 bert [13]. . . .

Le calme morne [14] du château de Combourg était
augmenté par l'humeur taciturne et insociable de mon
père.   Au lieu de resserrer [15] sa famille et ses gens autour
de lui, il les avait dispersés à toutes les aires de vent [16]
15 de l'édifice.   Sa chambre à coucher était placée dans la
petite tour de l'Est,[17] et son cabinet dans la petite tour de
l'Ouest.   Les meubles de ce cabinet consistaient en trois
chaises de cuir [18] noir et une table couverte de titres et de
parchemins.[19]   Un arbre généalogique de la famille des
20 Chateaubriand tapissait [20] le manteau de la cheminée,[21]
et dans l'embrasure [22] d'une fenêtre on voyait toutes
sortes d'armes. . . .   L'appartement de ma mère régnait
au-dessus de la grand'salle, entre les deux petites tours. . . .
Ma sœur habitait un cabinet dépendant de l'appartement

[1] city on the coast of Brittany, where Chateaubriand had gone
to prepare himself for entrance into the royal navy   [2] ancestral
home of Chateaubriand near Saint-Malo in Brittany   [3] cook
[4] coachman   [5] mares   [6] suppressed   [7] stable   [8] knights   [9] squires
[10] pages   [11] war-horses   [12] pack (of dogs)   [13] king of the Franks in
the seventh century   [14] gloomy   [15] draw together   [16] points of the
compass (nautical term)   [17] East   [18] leather   [19] parchments, titles
of nobility   [20] adorned, covered   [21] mantel-piece   [22] window-
opening, recess (of window)

de ma mère. La femme de chambre couchait loin de là dans le corps de logis [23] des grandes tours. Moi, j'étais niché [24] dans une espèce de cellule [25] isolée, au haut de la tourelle [26] de l'escalier qui communiquait de la cour intérieure aux diverses parties du château. Au bas de cet 5 escalier, le valet de chambre de mon père et le domestique gisaient [27] dans des caveaux voûtés, et la cuisinière tenait garnison dans la grosse tour de l'Ouest.

Mon père se levait à 4 heures du matin, hiver comme été: il venait dans la cour intérieure appeler et éveiller 10 son valet de chambre, à l'entrée de l'escalier de la tourelle. On lui apportait un peu de café à 5 heures; il travaillait ensuite dans son cabinet jusqu'à midi. Ma mère et ma sœur déjeunaient chacune dans leur chambre, à 8 heures du matin. Je n'avais aucune heure fixe, ni pour me lever, 15 ni pour déjeuner; j'étais censé [28] étudier jusqu'à midi: la plupart du temps je ne faisais rien.

A 11 heures et demie, on sonnait le dîner, que l'on servait à midi. La grand'salle était à la fois salle à manger et salon: on dînait et l'on soupait à l'une de 20 ses extrémités du côté de l'est; après les repas, on se venait placer à l'autre extrémité, du côté de l'ouest, devant une énorme cheminée. La grand'salle était boisée,[29] peinte [30] en gris blanc et ornée de vieux portraits depuis le règne de François Ier [31] jusqu'à celui de Louis 25 XVI [32]. . . .

Le dîner fait, on restait ensemble jusqu'à deux heures. Alors, si l'été, mon père prenait le divertissement [33] de la pêche,[34] visitait ses potagers,[35] se promenait dans le bois;

[23] distinct part of building [24] lodged [25] cell [26] turret, small tower [27] were located, lay (infinitive, *gésir*) [28] supposed [29] wainscoted (with interior walls lined or panelled in wood) [30] painted [31] king of France from 1515 to 1547 [32] king of France who was guillotined in 1793 [33] pastime [34] fishing [35] vegetable gardens

si l'automne et l'hiver, il partait pour la chasse; ma mère
se retirait dans la chapelle, où elle passait quelques heures
en prière. . . .

Mon père parti et ma mère en prière, Lucile [36] s'enfer-
5 mait dans sa chambre; je regagnais ma cellule, ou j'allais
courir les champs.

A 8 heures, la cloche annonçait le souper. Après le
souper, dans les beaux jours, on s'asseyait sur le perron.[37]
Mon père, armé de son fusil, tirait les chouettes [38] qui
10 sortaient des créneaux [39] à l'entrée de la nuit. Ma mère,
Lucile et moi, nous regardions le ciel, les bois, les derniers
rayons du soleil, les premières étoiles. A 10 heures, on
rentrait et l'on se couchait.

Les soirées d'automne et d'hiver étaient d'une autre
15 nature. Le souper fini et les quatre convives [40] revenus
de la table à la cheminée, ma mère se jetait, en soupirant,
sur un vieux lit de jour; . . . on mettait devant elle un
guéridon [41] et une bougie.[42] Je m'asseyais auprès du feu
avec Lucile; les domestiques enlevaient le couvert et se
20 retiraient. Mon père commençait alors une promenade
qui ne cessait qu'à l'heure de son coucher. Il était vêtu
d'une robe de ratine [43] blanche, ou plutôt d'une espèce de
manteau que je n'ai vu qu'à lui. Sa tête, demi-chauve,[44]
était couverte d'un grand bonnet blanc qui se tenait tout
25 droit. Lorsqu'en se promenant il s'éloignait du foyer,
la vaste salle était si peu éclairée par une seule bougie
qu'on ne le voyait plus; on l'entendait seulement encore
marcher dans les ténèbres,[45] puis il revenait lentement
vers la lumière et émergeait peu à peu de l'obscurité,

[36] favorite sister of Chateaubriand   [37] flight of steps (before
house), porch   [38] screech-owls   [39] battlements (walls of towers with
notched tops)   [40] members of the family   [41] round table   [42] candle
[43] ratten, coarse woolen fabric with rough surface   [44] half-bald
[45] darkness

comme un spectre, avec sa robe blanche, son bonnet
blanc, sa figure longue et pâle. Lucile et moi nous
échangions quelques mots à voix basse quand il était à
l'autre bout de la salle; nous nous taisions quand il se
rapprochait de nous. Il nous disait en passant: « De 5
quoi parliez-vous ? » Saisis de terreur, nous ne répon-
dions rien; il continuait sa marche. Le reste de la soirée,
l'oreille n'était plus frappée que du bruit mesuré de ses
pas, des soupirs de ma mère et du murmure du vent.

Dix heures sonnaient à l'horloge [46] du château: mon 10
père s'arrêtait.... Il tirait sa montre,[47] la montait,
prenait un flambeau [48] d'argent surmonté d'une grande
bougie, entrait un moment dans la petite tour de l'Ouest,
puis revenait, son flambeau à la main, et s'avançait vers
sa chambre à coucher, dépendante de la petite tour de 15
l'Est. Lucile et moi nous nous tenions sur son passage;
nous l'embrassions en lui souhaitant une bonne nuit. Il
penchait vers nous sa joue sèche et creuse sans nous
répondre, continuait sa route et se retirait au fond de
la tour, dont nous entendions les portes se refermer 20
sur lui.

Le talisman était brisé; ma mère, ma sœur et moi,
transformés en statues par la présence de mon père, nous
recouvrions les fonctions de la vie. Le premier effet de
notre désenchantement se manifestait par un déborde- 25
ment [49] de paroles....

Ce torrent de paroles écoulé,[50] j'appelais la femme de
chambre et je reconduisais ma mère et ma sœur à leur
appartement. Avant de me retirer, elles me faisaient regarder sous les lits, dans les cheminées, les passages et les 30
corridors voisins. Toutes les traditions du château,
voleurs et spectres, leur revenaient en mémoire. Les gens

[46] clock [47] watch [48] candlestick [49] torrent [50] having passed

étaient persuadés qu'un certain comte de Combourg, à jambe de bois, mort depuis trois siècles, apparaissait à certaines époques, et qu'on l'avait rencontré dans le grand escalier de la tourelle; sa jambe de bois se prome-
5 nait aussi quelquefois seule avec un chat [51] noir.

Mes jours s'écoulaient d'une manière sauvage, bizarre, insensée [52] et pourtant pleine de délices.[53]

Mémoires d'Outre-Tombe [54]

[51] cat   [52] senseless   [53] pleasure, delight   [54] memoirs from beyond the tomb, so called because they were designed not to be published before Chateaubriand's death. *Mémoire* in this sense is masculine; *mémoire*, meaning "memory," is feminine.

LAMARTINE

Alphonse de Lamartine (1790–1869) was the first great poet of the Romantic period. His early life had been touched by the Revolution, for his father was imprisoned as an aristocrat. He spent his boyhood in the ancestral home near Mâcon in eastern France. During a youthful visit to Italy, Lamartine felt the beauty of the Italian landscape and had an idyllic love affair with a Neapolitan girl, Graziella. Later in life, he traveled widely and held various state positions, including membership in the Chamber of Deputies. In politics he was an idealist and a liberal, whose brilliant oratory charmed his followers. He became the virtual head of the French state for a short time after the Revolution of 1848. However, he was defeated for the presidency by Louis-Napoleon, soon to become Napoleon III. Lamartine spent the last years of his life in retirement, writing mediocre prose in order to pay off vast debts incurred by his earlier extravagance and generosity.

Lamartine was essentially a lyric poet who sang of love, nature, and religion. It is fitting that he called his first volume of poetry *Les premières Méditations* (1820). His style is harmonious and flowing, and is highly personal even when the language is classical. *Le Lac* tells of his love for Madame Julie Charles whom he had known at the beautiful Lac de Bourget in Savoy. When Madame Charles was unable, because of illness, to return the next year to meet Lamartine, he wrote the poem in which he recalled their fleeting happiness and then asked nature, which is unchanging, to keep the memory of their love.

Le Lac and selections from *Les Confidences*, Lamartine's autobiography, are found in the *Intermediate French Grammar and Readings*, edited by Harry Kurz for The Century Modern Language Series. His play, *Toussaint Louverture*, on the life of the Haitian hero, is edited in the same series by George Raffalovich, and a number of his poems are included in *Nineteenth Century French Verse* by Galland and Cros.

LE LAC

Ainsi, toujours poussés vers de nouveaux rivages,[1]
Dans la nuit éternelle emportés sans retour,
Ne pourrons-nous jamais sur l'océan des âges
      Jeter l'ancre [2] un seul jour ?

5 O lac ! l'année à peine a fini sa carrière,[3]
Et près des flots [4] chéris qu'elle devait revoir,
Regarde ! je viens seul m'asseoir sur cette pierre
      Où tu la vis s'asseoir !

Tu mugissais [5] ainsi sous ces roches profondes;
10 Ainsi tu te brisais sur leurs flancs [6] déchirés;
Ainsi le vent jetait l'écume [7] de tes ondes [8]
      Sur ses pieds adorés.

Un soir, t'en souvient-il ? nous voguions [9] en silence;
On n'entendait au loin, sur l'onde et sous les cieux,
15 Que le bruit des rameurs [10] qui frappaient en cadence
      Tes flots harmonieux.

Tout à coup des accents inconnus à la terre
Du rivage charmé frappèrent les échos;
Le flot fut attentif, et la voix qui m'est chère
20   Laissa tomber ces mots:

« O temps, suspends ton vol [11] ! et vous, heures propices,[12]
      Suspendez votre cours !
Laissez-nous savourer [13] les rapides délices [14]
      Des plus beaux de nos jours !

---

[1] shores   [2] anchor   [3] course   [4] waves   [5] roared   [6] sides
[7] foam   [8] waves   [9] were floating   [10] rowers   [11] flight   [12] favorable,
kind   [13] enjoy   [14] delight, pleasure

« Assez de malheureux ici-bas vous implorent:
      Coulez, coulez pour eux;
Prenez avec leurs jours les soins qui les dévorent;
      Oubliez les heureux.

« Mais je demande en vain quelques moments encore, 5
      Le temps m'échappe et fuit;
Je dis à cette nuit: Sois plus lente; et l'aurore [15]
      Va dissiper [16] la nuit.

« Aimons donc, aimons donc ! de l'heure fugitive,
      Hâtons-nous,[17] jouissons !   10
L'homme n'a point de port, le temps n'a point de rive [18];
      Il coule, et nous passons ! »

Temps jaloux, se peut-il que ces moments d'ivresse,[19]
Où l'amour à longs flots nous verse le bonheur,
S'envolent [20] loin de nous de la même vitesse   15
      Que les jours de malheur ?

Eh quoi ! n'en pourrons-nous fixer au moins la trace ?
Quoi ! passés pour jamais ? quoi ! tout entiers perdus ?
Ce temps qui les donna, ce temps qui les efface,
      Ne nous les rendra plus ?   20

Éternité, néant,[21] passé, sombres abîmes,
Que faites-vous des jours que vous engloutissez [22] ?
Parlez: nous rendrez-vous ces extases [23] sublimes
      Que vous nous ravissez ?

O lac ! rochers muets ! grottes ! forêt obscure !   25
Vous que le temps épargne [24] ou qu'il peut rajeunir,[25]
Gardez de cette nuit, gardez, belle nature,
      Au moins le souvenir !

---

[15] dawn   [16] to scatter, drive away   [17] let us hasten   [18] bank, shore   [19] intoxication, rapture   [20] fly away, vanish   [21] nothingness   [22] devour   [23] ecstasies, raptures   [24] spares   [25] make young again

Qu'il soit dans ton repos, qu'il soit dans tes orages,
Beau lac, et dans l'aspect de tes riants coteaux,[26]
Et dans ces noirs sapins,[27] et dans ces rocs sauvages
    Qui pendent sur tes eaux !

5 Qu'il soit dans le zéphyr qui frémit [28] et qui passe,
Dans les bruits de tes bords par tes bords répétés,
Dans l'astre au front d'argent [29] qui blanchit ta surface
    De ses molles clartés !

Que le vent qui gémit,[30] le roseau [31] qui soupire,
10 Que les parfums légers de ton air embaumé,[32]
Que tout ce qu'on entend, l'on voit ou l'on respire,
    Tout dise: « Ils ont aimé ! »

Les Premières Méditations (1820)

[26] hillsides   [27] fir-trees   [28] trembles, murmurs   [29] *l'astre au front d'argent* is the moon   [30] sighs   [31] reed   [32] perfumed

VICTOR HUGO

Victor Hugo (1802–85) is known in America chiefly for his novels, *Les Misérables* and *Notre-Dame de Paris;* but in France he is considered the greatest poet of the nineteenth century. His father was a general under Napoleon I and with him the boy Victor visited Spain and Italy where he was impressed by the colorful scenery which he later described in his poems and plays. Hugo was early the leader of a Romantic group; and his *Hernani*, in 1830, marks the beginning of the Romantic drama. He is unsurpassed in his mastery of words and rhythm. He was not a deep thinker, but had a vivid imagination and a strong sense of the colorful. He was fond of antithesis, contrasting the old Jean Valjean with the little Cosette in *Les Misérables*, the beautiful Esmeralda with the ugly Quasimodo in *Notre-Dame de Paris*, the bandit with the king in *Hernani*, etc. His poems cover a wide variety of topics — nature, love, family life, history, legends, Oriental tales, and religion.

Hugo was one of the members of the Chamber of Deputies who tried to stop Louis-Napoleon from becoming emperor. As a result the poet was forced into exile which he spent, for the most part, on the islands of Jersey and Guernsey. He returned to France on the fall of Napoleon III in 1870. In his last years he was much honored, although poetry of the Romantic school was no longer in fashion.

The three poems selected show different tendencies in Hugo's poetry. *Extase* is a hymn of the worship of God in nature, and shows his love of the sea. *Les Djinns* is a metrical *tour de force*, a poem which is like a composition played by an orchestra. The Djinns, evil spirits of Persia, are first heard in the distance; the poem reaches its climax as they pass by; and then the sound dies away until perfect silence is again reached. Victor Hugo's poetry should be read aloud in order to be appreciated to the fullest extent. The *Chanson* is one of the minor satirical poems directed against the emperor, whom he called *Napoléon le petit*.

The greatest poem on this subject is *L'Expiation*, in which Hugo pictures Napoleon I being punished for his *coup d'état* by the humiliation of having a nephew such as Napoleon III use his illustrious name as a means of gaining power.

Works of Hugo are found in the following books of The Century Modern Language Series: *Easy French Fiction* by G. D. Morris; *Nineteenth Century French Verse* and *Nineteenth Century French Prose* by Galland and Cros; *Nineteenth Century French Plays* by J. L. Borgerhoff; *Intermediate French Grammar and Readings* by Kurz; and the Romantic tragedy, *Marion de Lorme*, edited by Maxwell A. Smith and Mary Ruth Smith.

EXTASE [1]

J'étais seul près des flots,[2] par une nuit d'étoiles.
Pas un nuage aux cieux, sur les mers pas de voiles.[3]
Mes yeux plongeaient plus loin que le monde réel,
Et les bois, et les monts, et toute la nature,
5 Semblaient interroger dans un confus murmure
    Les flots des mers, les feux du ciel.[4]

Et les étoiles d'or, légions infinies,
A voix haute, à voix basse, avec mille harmonies,
Disaient, en inclinant [5] leurs couronnes [6] de feu;
10 Et les flots bleus, que rien ne gouverne et n'arrête,
Disaient, en recourbant [7] l'écume [8] de leur crête [9]:
    C'est le Seigneur, le Seigneur Dieu !

Les Orientales (1829)

---

[1] ecstasy, rapture [2] waves [3] sails [4] All nature is asking the waves and the stars the meaning of the universe. [5] bending over [6] crowns [7] bending back [8] foam [9] crest, top

LES DJINNS [1]

Murs, ville,
Et port,
Asile [2]
De mort,
Mer grise   5
Où brise [3]
La brise,
Tout dort.

Dans la plaine
Naît un bruit.   10
C'est l'haleine
De la nuit.
Elle brame [4]
Comme une âme
Qu'une flamme   15
Toujours suit.

La voix plus haute
Semble un grelot.[5]
D'un nain [6] qui saute
C'est le galop.   20
Il fuit, s'élance,
Puis en cadence
Sur un pied danse
Au bout d'un flot.

[1] spirits in Arabian or Mohammedan mythology, representing the unsubdued forces of nature [2] refuge, asylum [3] Note the identical rime of *brise* (break) with *brise* (breeze). In French poetry, when two words that are spelled alike rime, they must differ in meaning. [4] moans, bellows [5] small bell [6] dwarf

La rumeur approche,
L'écho la redit.
C'est comme la cloche
D'un couvent maudit,[7]
5   Comme un bruit de foule
Qui tonne [8] et qui roule,
Et tantôt s'écroule,[9]
Et tantôt grandit.

Dieu ! la voix sépulcrale
10   Des Djinns !   Quel bruit ils font !
Fuyons sous la spirale
De l'escalier profond !
Déjà s'éteint ma lampe,
Et l'ombre de la rampe,[10]
15   Qui le long du mur rampe,
Monte jusqu'au plafond.[11]

C'est l'essaim [12] des Djinns qui passe,
Et tourbillonne [13] en sifflant.[14]
Les ifs,[15] que leur vol [16] fracasse,[17]
20   Craquent [18] comme un pin brûlant.
Leur troupeau [19] lourd et rapide,
Volant dans l'espace vide,
Semble un nuage livide
Qui porte un éclair [20] au flanc.

25   Ils sont tout près ! — Tenons fermée
Cette salle où nous les narguons.[21]

---

[7] cursed, hated   [8] thunders   [9] falls to pieces, is destroyed
[10] *rampe* (banisters) forms an identical rime with *rampe* (crawls).
[11] ceiling   [12] swarm   [13] whirls   [14] whistling   [15] yew-trees   [16] flight
[17] breaks to pieces   [18] crack (note the connection between sound and
sense)   [19] flock   [20] lightning   [21] defy

Quel bruit dehors ! Hideuse armée
De vampires et de dragons !
La poutre [22] du toit descellée [23]
Ploie [24] ainsi qu'une herbe mouillée,
Et la vieille porte rouillée [25]   5
Tremble à déraciner [26] ses gonds.[27]

Cris de l'enfer [28] ! voix qui hurle [29] et qui pleure !
L'horrible essaim, poussé par l'aquilon,[30]
Sans doute, ô ciel ! s'abat sur ma demeure.
Le mur fléchit [31] sous le noir bataillon.[32]   10
La maison crie et chancelle [33] penchée,
Et l'on dirait que, du sol arrachée,
Ainsi qu'il chasse une feuille séchée,[34]
Le vent la roule avec leur tourbillon !

Prophète [35] ! si ta main me sauve   15
De ces impurs démons des soirs,
J'irai prosterner [36] mon front chauve [37]
Devant tes sacrés encensoirs [38] !
Fais que sur ces portes fidèles
Meure leur souffle d'étincelles,[39]   20
Et qu'en vain l'ongle [40] de leurs ailes
Grince [41] et crie à ces vitraux [42] noirs !

Ils sont passés ! — Leur cohorte
S'envole [43] et fuit, et leurs pieds
Cessent de battre ma porte   25
De leurs coups multipliés.

[22] beam [23] loosened [24] bends over [25] rusty [26] pull out [27] hinges
[28] hell [29] howls [30] north wind [31] bends, gives in [32] troop [33] totters [34] dried [35] the prophet Mohammed [36] to prostrate, bow low
[37] bald [38] censers (for incense in church) [39] sparks [40] claw
[41] gnashes, grates [42] stained-glass windows [43] flies away

L'air est plein d'un bruit de chaînes,
Et dans les forêts prochaines
Frissonnent [44] tous les grands chênes,[45]
Sous leur vol de feu pliés !

5 De leurs ailes lointaines
Le battement décroît,[46]
Si confus dans les plaines,
Si faible, que l'on croit
Ouïr [47] la sauterelle [48]
10 Crier d'une voix grêle,[49]
Ou pétiller [50] la grêle
Sur le plomb [51] d'un vieux toit.

  D'étranges syllabes
Nous viennent encor:
15 Ainsi, des Arabes
Quand sonne le cor,[52]
Un chant sur la grève [53]
Par instants s'élève,
Et l'enfant qui rêve
20 Fait des rêves d'or.

  Les Djinns funèbres,[54]
Fils du trépas,[55]
Dans les ténèbres [56]
Pressent leurs pas;
25 Leur essaim gronde:
Ainsi, profonde,
Murmure une onde [57]
Qu'on ne voit pas.

---

[44] tremble [45] oaks [46] diminishes [47] to hear [48] grasshopper, locust [49] *grêle* (shrill) rimes with *grêle* (hail) [50] crackle [51] lead [52] horn [53] beach [54] mournful, funereal [55] death (poetical word) [56] darkness [57] wave

Ce bruit vague
Qui s'endort,
C'est la vague
Sur le bord;
C'est la plainte [58]   5
Presque éteinte
D'une sainte
Pour un mort.

On doute
La nuit ...   10
J'écoute: —
Tout fuit,
Tout passe;
L'espace
Efface   15
Le bruit.

Les Orientales (1829)

CHANSON

Sa grandeur éblouit [1] l'histoire.
     Quinze ans, il fut
Le dieu qui traînait la victoire
     Sur un affût [2];   20
L'Europe sous sa loi guerrière
     Se débattit.[3] —
Toi, son singe,[4] marche derrière
     Petit, petit.

[58] lament

---

[1] dazzled: the subject is "the greatness (of Napoleon Bonaparte)"
[2] gun-carriage [3] struggled [4] monkey. Napoleon III is thus
called because he aped his uncle, Napoleon I.

Napoléon dans la bataille,
    Grave et serein,
Guidait à travers la mitraille [5]
    L'aigle [6] d'airain.[7]
5   Il entra sur le pont d'Arcole,[8]
    Il en sortit. —
Voici de l'or, viens, pille [9] et vole,
    Petit, petit.

Berlin,[10] Vienne,[11] étaient ses maîtresses;
10   Il les forçait,
Leste,[12] et prenant les forteresses
    Par le corset;
Il triompha de cent bastilles [13]
    Qu'il investit.[14] —
15 Voici pour toi, voici des filles,
    Petit, petit.

Il passait les monts et les plaines,
    Tenant en main
La palme,[15] la foudre [16] et les rênes [17]
20   Du genre humain;
Il était ivre [18] de sa gloire
    Qui retentit. —
Voici du sang, accours, viens boire,
    Petit, petit.

25 Quand il tomba, lâchant le monde,
    L'immense mer

[5] grape-shot [6] eagle (the emblem of Napoleon) [7] brass [8] In 1796 Napoleon defeated the Austrians at the Pont d'Arcole near Verona in Italy. [9] plunder, pillage [10] Berlin was taken by Napoleon in 1806. [11] Vienna was occupied by the French in 1805 and in 1809. [12] active, nimble [13] forts [14] laid siege to [15] palm (symbol of victory) [16] thunder-bolt [17] reins [18] intoxicated

Ouvrit à sa chute profonde
    Le gouffre [19] amer;
Il y plongea, sinistre [20] archange,[21]
    Et s'engloutit.[22] —
Toi, tu te noieras dans la fange [23]   5
    Petit, petit.

Les Châtiments [24] (1853)

[19] gulf, abyss   [20] sinister, ominous, grim   [21] archangel   [22] was engulfed   [23] mire, mud   [24] punishments: title of a group of satirical poems written by Hugo while in exile

ALFRED DE MUSSET

Alfred de Musset (1810–57) was a precocious youth who was introduced early into the Romantic circle of Hugo and his friends. Musset is a personal poet who sincerely lays bare his emotions in delicate lyric poetry. The high point in his life was his love affair with the woman writer, George Sand. After the disillusionment of their trip to Italy, Musset wrote his best poems, *Les Nuits*, which contain magnificent dialogues between the poet and his Muse. His poetry constantly joins the thoughts of *aimer* and *souffrir*. Love causes suffering but, without love, life is incomplete. Besides his poetry, Musset wrote *contes* and a number of fanciful plays which show his imagination and humor.

Many of Musset's poems are short, as is *Tristesse*, which indicates his tendency to Romantic sadness. The *Sonnet à M. Victor Hugo* was written on the occasion of a reconciliation after a period of coolness due to Musset's withdrawal from Hugo's literary circle. Besides showing the importance which the poet attached to friendship, it is a good example of the whimsical humor of which Musset was a master.

For further selections from Musset, the student may consult Galland and Cros, *Nineteenth Century French Verse* and *Nineteenth Century French Prose;* Borgerhoff, *Nineteenth Century French Plays;* and Kurz, *Intermediate French Grammar and Readings*.

TRISTESSE

J'ai perdu ma force et ma vie,
Et mes amis et ma gaîté;
J'ai perdu jusqu'à la fierté [1]
Qui faisait croire à mon génie.

[1] pride

Quand j'ai connu la Vérité,
J'ai cru que c'était une amie;
Quand je l'ai comprise et sentie,
J'en étais déjà dégoûté.[2]

Et pourtant elle est éternelle,   5
Et ceux qui se sont passés d'elle [3]
Ici-bas ont tout ignoré.

Dieu parle, il faut qu'on lui réponde.
Le seul bien qui me reste au monde
Est d'avoir quelquefois pleuré.   10

A M. VICTOR HUGO

Il faut, dans ce bas monde, aimer beaucoup de choses,
Pour savoir, après tout, ce qu'on aime le mieux:
Les bonbons, l'Océan, le jeu, l'azur des cieux,
Les femmes, les chevaux, les lauriers [1] et les roses.

Il faut fouler [2] aux pieds des fleurs à peine écloses [3];   15
Il faut beaucoup pleurer, dire beaucoup d'adieux.
Puis le cœur s'aperçoit qu'il est devenu vieux,
Et l'effet qui s'en va nous découvre les causes.

De ces biens passagers [4] que l'on goûte à demi,
Le meilleur qui nous reste est un ancien ami.   20
On se brouille,[5] on se fuit. — Qu'un hasard nous ras-
semble,[6]

On s'approche, on sourit, la main touche la main,
Et nous nous souvenons que nous marchions ensemble,
Que l'âme est immortelle, et qu'hier c'est demain.   25

[2] disgusted   [3] who have done without her

----

[1] The laurel is the symbol of glory, and the rose is the symbol of
love.   [2] trample   [3] opened   [4] short-lived   [5] quarrels: i.e. friends
quarrel and avoid each other   [6] if chance brings us together again

PAUL VERLAINE

Paul Verlaine (1844–96) was a neo-Romantic poet whose works show in part the tendencies of the late nineteenth-century school known as Symbolism. The story of his life is a sordid one. He was weak-willed, and early fell a prey to alcoholism. He deserted his wife for a life of vagabondage with the precocious child poet, Arthur Rimbaud. Then he wounded Rimbaud in a quarrel and was imprisoned for nearly two years. The downward course of his existence was marked by several, apparently sincere, attempts to reform and return to the Catholic religion. In spite of his faults as a man, his genius caused Verlaine to be surrounded by a group of admiring disciples. In 1894 he was elected *Prince des Poètes* as a result of a poll by various journals.

Most of Verlaine's poems are short, lyrical, and personal. Many of them have been set to music; in fact, Verlaine thought of poetry largely as musical expression in words. *Il pleure dans mon cœur* is a poem of sadness and discouragement but of beautiful lyrical expression. The poet has selected the deeper *eu* and *ou* sounds in many of the words in order to emphasize the melancholy tone. *Le ciel est, par-dessus le toit*, a poem written while Verlaine was in prison, pictures him looking out from his cell at the simple but beautiful picture of nature as presented by the outside world.

For other poems of Verlaine, see *Nineteenth Century French Verse* by Galland and Cros and *Intermediate French Grammar and Readings* by Kurz.

IL PLEURE DANS MON CŒUR

Il pleure dans mon cœur
Comme il pleut sur la ville,
Quelle est cette langueur [1]
Qui pénètre mon cœur ?

[1] weariness, languor

O bruit doux de la pluie
Par terre et sur les toits !
Pour un cœur qui s'ennuie
O le chant de la pluie !

Il pleure sans raison   5
Dans ce cœur qui s'écœure.[2]
Quoi ! nulle trahison [3] ?
Ce deuil [4] est sans raison.

C'est bien la pire peine
De ne savoir pourquoi,   10
Sans amour et sans haine,
Mon cœur a tant de peine.

Romances [5] *sans paroles* (**1874**)

LE CIEL EST

Le ciel est, par-dessus [1] le toit,
    Si bleu, si calme !
Un arbre, par-dessus le toit,   15
    Berce [2] sa palme.[3]

La cloche, dans le ciel qu'on voit,
    Doucement tinte.[4]
Un oiseau sur l'arbre qu'on voit
    Chante sa plainte.[5]   20

Mon Dieu, mon Dieu, la vie est là,
    Simple et tranquille.

---

[1] is discouraged [3] betrayal [4] mourning [5] songs

[1] over, above [2] rocks, sways [3] palm, branch of tree [4] rings
[5] lament

Cette paisible [6] rumeur-là
  Vient de la ville.

— Qu'as-tu fait, ô toi que voilà
  Pleurant sans cesse,
Dis, qu'as-tu fait, toi que voilà,
  De ta jeunesse ?

Sagesse [7] (1881)

[6] peaceful   [7] wisdom

ANATOLE FRANCE

Jacques-Anatole Thibault (1844–1924), who took the name of Anatole France, was brought up in a literary atmosphere in his father's bookshop. He was well trained in the classics and also acquired much experience by studying the life of Paris and loitering at the bookstalls along the Seine. He started his literary career as a poet, but reached real fame with *Le Crime de Sylvestre Bonnard* (1881), a novel which pictures the life and philosophy of an old scholar who befriended the granddaughter of the girl whom he had once loved. Another novel is *Thaïs*, the story of a courtesan who became a saint. This has been made into an opera by Massenet. Anatole France, one of the greatest masters of French style, will be remembered for the beauty of his phrases as much as for his ideas. He was elected to the French Academy in 1896 and received the Nobel Prize for literature in 1921. He also interested himself in various modern movements, such as socialism; and joined Zola as the champion of Dreyfus in the famous case which for a time divided France into two camps.

Among Anatole France's best stories are the tales of his own childhood. *L'Ermitage du Jardin des Plantes* is taken from *Le Livre de mon ami* (1885), one of the books in which he describes the little Pierre Nozière, the boy who represents his own childhood recollections. Selections from A. France are given by Galland and Cros in *Nineteenth Century French Prose*.

L'ERMITAGE [1] DU JARDIN DES PLANTES [2]

Je ne savais pas lire, je portais des culottes fendues,[3] je pleurais quand ma bonne [4] me mouchait [5] et j'étais dévoré par l'amour de la gloire. Telle est la vérité: dans

[1] hermitage [2] The botanical and zoölogical garden of Paris, also containing a museum of natural history. It is located in the Latin Quarter near where Anatole France lived. [3] child's pants [4] maid, nurse [5] wiped my nose (cf. *mouchoir*)

117

l'âge le plus tendre, je nourrissais le désir de m'illustrer sans retard et de durer dans la mémoire des hommes. J'en cherchais les moyens tout en déployant [6] mes soldats de plomb sur la table de la salle à manger. Si j'avais pu, je serais allé conquérir l'immortalité dans les champs de bataille et je serais devenu semblable à quelqu'un de ces généraux que j'agitais dans mes petites mains et à qui je dispensais la fortune des armes sur une toile cirée.[7]

Mais il n'était pas en moi d'avoir un cheval, un uniforme, un régiment et des ennemis, toutes choses essentielles à la gloire militaire. C'est pourquoi je pensai devenir un saint. Cela exige moins d'appareil et rapporte beaucoup de louanges.[8] Ma mère était pieuse.[9] Sa piété — comme elle aimable et sérieuse — me touchait beaucoup. Ma mère me lisait souvent la *Vie des Saints*, que j'écoutais avec délices et qui remplissait mon âme de surprise et d'amour. Je savais donc comment les hommes du Seigneur s'y prenaient pour rendre leur vie précieuse et pleine de mérites. Je savais quelle céleste odeur répandent les roses du martyre. Mais le martyre est une extrémité à laquelle je ne m'arrêtai pas. Je ne songeai pas non plus à l'apostolat et à la prédication,[10] qui n'étaient guère dans mes moyens. Je m'en tins aux austérités, comme étant d'un usage facile et sûr.

Pour m'y livrer sans perdre de temps, je refusai de déjeuner. Ma mère qui n'entendait rien à ma nouvelle vocation, me crut souffrant et me regarda avec une inquiétude qui me fit de la peine. Je n'en jeûnai pas moins.[11] Puis, me rappelant saint Siméon Stylite,[12]

---

[6] spreading out, deploying   [7] oilcloth   [8] praise   [9] pious, devout
[10] preaching   [11] I fasted none the less.   [12] a fifth century ascetic who passed the last thirty years of his life on a pillar

qui vécut sur une colonne, je montai sur la fontaine de la cuisine; mais je ne pus y vivre, car Julie, notre bonne, m'en délogea [13] promptement. Descendu de ma fontaine, je m'élançai avec ardeur dans le chemin de la perfection et résolus d'imiter saint Nicolas de Patras,[14] qui distribua 5 ses richesses aux pauvres. La fenêtre du cabinet de mon père donnait sur le quai. Je jetai par cette fenêtre une douzaine de sous qu'on m'avait donnés parce qu'ils étaient neufs et qu'ils reluisaient [15]; je jetai ensuite des billes [16] et des toupies [17] et mon sabot [18] avec son fouet [19] 10 de peau d'anguille.[20]

— Cet enfant est stupide! s'écria mon père en fermant la fenêtre.

J'éprouvai de la colère et de la honte [21] à m'entendre juger ainsi. Mais je considérai que mon père, n'étant pas 15 saint comme moi, ne partagerait pas avec moi la gloire des bienheureux, et cette pensée me fut une grande consolation.

Quand vint l'heure de m'aller promener, on me mit mon chapeau; j'en arrachai la plume, à l'exemple du 20 bienheureux Labre,[22] qui, lorsqu'on lui donnait un vieux bonnet tout crasseux,[23] avait soin de le traîner dans la fange [24] avant de le mettre sur sa tête. Ma mère, en apprenant l'aventure des richesses et celle du chapeau, haussa les épaules et poussa un gros soupir. Je l'affli- 25 geais [25] vraiment.

Pendant la promenade, je tins les yeux baissés pour ne pas me laisser distraire [26] par les objets extérieurs, me

[13] dislodged [14] an early Christian martyr who gave gifts to the poor. From this comes the idea of Saint Nicholas giving gifts to children. [15] were shiny [16] marbles [17] tops [18] whipping top [19] whip [20] eel [21] shame [22] an eighteenth-century French saint who insisted on living in filth and squalor [23] dirty, filthy [24] mud, mire [25] distressed [26] in order not to let myself be disturbed

conformant ainsi à un précepte souvent donné dans la *Vie des Saints*.

C'est au retour de cette promenade salutaire [27] que, pour achever ma sainteté, je me fis un cilice [28] en me 5 fourrant dans le dos [29] le crin [30] d'un vieux fauteuil. J'en éprouvai de nouvelles tribulations, car Julie me surprit au moment où j'imitais ainsi les fils de saint François.[31] S'arrêtant à l'apparence sans pénétrer l'esprit, elle vit que j'avais crevé [32] un fauteuil et me fessa [33] par sim- 10 plicité.

En réfléchissant aux pénibles incidents de cette journée, je reconnus qu'il est bien difficile de pratiquer la sainteté dans la famille. Je compris pourquoi les saints Antoine [34] et Jérôme [35] s'en étaient allés au désert parmi les lions et 15 les ægipans [36]; et je résolus de me retirer dès le lendemain dans un ermitage. Je choisis, pour m'y cacher, le laby- rinthe [37] du Jardin des Plantes. C'est là que je voulais vivre dans la contemplation, vêtu, comme saint Paul l'Ermite,[38] d'une robe de feuilles de palmier. Je pensais: 20 « Il y aura dans ce jardin des racines [39] pour ma nourri- ture. On y découvre une cabane au sommet d'une montagne. Là, je serai au milieu de toutes les bêtes de la création; le lion qui creusa de ses ongles [40] la tombe de sainte Marie l'Égyptienne [41] viendra sans doute me

[27] beneficial [28] haircloth [29] thrusting into my back [30] horse- hair [31] Franciscan friars. The Franciscan order was founded by Saint Francis of Assisi (1182–1226). The friars follow laws of pov- erty and asceticism. [32] broken open [33] spanked [34] third century Egyptian hermit [35] the saint who prepared the Latin version of the Bible known as the Vulgate. He spent some years in the Egyptian desert as a hermit. [36] satyrs with the head of a goat and the tail of a fish. They were said to have lived in the Egyptian desert. [37] small hill in the Jardin des Plantes. It received its name because of its several intersecting paths. [38] the first desert hermit, who lived eighty years in a cave in the Egyptian desert [39] roots [40] claws [41] a fourth century courtesan who repented and lived many years as a hermit

chercher pour rendre les devoirs de la sépulture à quelque
solitaire des environs. Je verrai, comme saint Antoine,
l'homme aux pieds de bouc [42] et le cheval au buste
d'homme. Et peut-être que les anges [43] me soulèveront
de terre en chantant des cantiques. » [44]

Ma résolution paraîtra moins étrange quand on saura
que, depuis longtemps, le Jardin des Plantes était pour
moi un lieu saint, assez semblable au Paradis terrestre,[45]
que je voyais figuré sur ma vieille Bible en estampes.[46]
Ma bonne m'y menait souvent et j'y éprouvais un sentiment de sainte allégresse.[47] Le ciel même m'y semblait
plus spirituel et plus pur qu'ailleurs, et, dans les nuages
qui passaient sur la volière [48] des aras,[49] sur la cage du
tigre, sur la fosse [50] de l'ours [51] et sur la maison de l'élé-
phant, je voyais confusément Dieu le Père avec sa barbe
blanche et dans sa robe bleue, le bras étendu pour me
bénir [52] avec l'antilope et la gazelle, le lapin [53] et la
colombe [54]; et, quand j'étais assis sous le cèdre du
Liban,[55] je voyais descendre sur ma tête, à travers les
branches, les rayons que le Père éternel laissait échapper
de ses doigts. Les animaux qui mangeaient dans ma
main en me regardant avec douceur me rappelaient ce que
ma mère m'enseignait d'Adam et des jours de l'innocence
première. La Création réunie là, comme jadis dans la
maison flottante du patriarche,[56] se reflétait dans mes
yeux, toute parée de grâce enfantine. Et rien ne me
gâtait [57] mon Paradis. Je n'étais pas choqué [58] d'y voir
des bonnes, des militaires et des marchands de coco.[59]

[42] he-goat [43] angels [44] hymns [45] Earthly Paradise, the Garden
of Eden [46] Bible with pictures [47] joy [48] large cage for birds
[49] macaws, birds of the parrot family [50] pit [51] bear [52] bless
[53] rabbit [54] dove [55] the famous cedar of Lebanon in the Jardin des
Plantes. It was planted in 1734. [56] Noah's Ark [57] spoiled
[58] shocked [59] licorice-water

Au contraire, je me sentais heureux près de ces humbles et de ces petits, moi le plus petit de tous.   Tout me semblait ciair, aimable et bon, parce que, avec une candeur souveraine, je ramenais tout à mon idéal d'enfant.

5   Je m'endormis dans la résolution d'aller vivre au milieu de ce jardin pour acquérir des mérites et devenir l'égal des grands saints dont je me rappelais l'histoire fleurie.

Le lendemain matin, ma résolution était ferme encore. J'en instruisis [60] ma mère.   Elle se mit à [61] rire.

10   — Qui t'a donné l'idée de te faire ermite sur le labyrinthe du Jardin des Plantes ? me dit-elle en me peignant [62] les cheveux et en continuant de rire.

— Je veux être célèbre, répondis-je, et mettre sur mes cartes de visite [63] « Ermite et saint du calendrier »,
15 comme papa met sur les siennes: « Lauréat [64] de L'Académie de médecine et secrétaire de la Société d'anthropologie. » [65]

A ce coup, ma mère laissa tomber le peigne qu'elle passait dans mes cheveux.

20   — Pierre ! s'écria-t-elle, Pierre ! quelle folie et quel péché ! [66] Je suis bien malheureuse ! Mon petit garçon a perdu la raison à l'âge où l'on n'en a pas encore.

Puis, se tournant vers mon père:

— Vous l'avez entendu, mon ami; à sept ans il veut
25 être célèbre !

— Chère amie, répondit mon père, vous verrez qu'à vingt ans, il sera dégoûté [67] de la gloire.

— Dieu le veuille ! dit ma mère; je n'aime point les vaniteux.

---

[60] informed [61] she began to [62] combing [63] Europeans frequently place professorial titles or honors on their visiting cards. [64] prizewinner [65] anthropology, the science which treats of the origin, development, characteristics, and varieties of mankind [66] sin [67] disgusted

Dieu l'a voulu et mon père ne se trompait pas. Comme le roi d'Yvetot,[68] je vis fort bien sans gloire et n'ai plus la moindre envie de graver le nom de Pierre Nozière dans la mémoire des hommes.

Toutefois, quand maintenant je me promène, avec mon cortège [69] de souvenirs lointains, dans ce Jardin des Plantes, bien attristé et abandonné, il me prend une incompréhensible envie de conter aux amis inconnus le rêve que je fis jadis d'y vivre en anachorète,[70] comme si ce rêve d'un enfant pouvait, en se mêlant aux pensées d'autrui, y faire passer la douceur d'un sourire.

C'est aussi pour moi une question de savoir si vraiment j'ai bien fait de renoncer dès l'âge de six ans à la vie militaire; car le fait est que je n'ai pas songé depuis à être soldat. Je le regrette un peu. Il y a, sous les armes, une grande dignité de vie. Le devoir y est clair et d'autant mieux déterminé que ce n'est pas le raisonnement qui le détermine. L'homme qui peut raisonner ses actions découvre bientôt qu'il en est peu d'innocentes. Il faut être prêtre ou soldat pour ne pas connaître les angoisses du doute.

Quant au rêve d'être un solitaire, je l'ai refait toutes les fois que j'ai cru sentir que la vie était foncièrement[71] mauvaise: c'est dire que je l'ai fait chaque jour. Mais, chaque jour, la nature me tira par l'oreille et me ramena aux amusements dans lesquels s'écoulent [72] les humbles existences.

Le Livre de mon ami (1885)

---

[68] This phrase refers to a popular song by Béranger, written in 1813. It describes the little king of Yvetot in Normandy, *dormant fort bien sans gloire.* [69] retinue [70] as a hermit [71] fundamentally [72] glide along

GUY DE MAUPASSANT

Guy de Maupassant (1850–93), probably the greatest of short-story writers, belonged to the Naturalistic School of the second half of the nineteenth century. He was a Norman and was trained in writing by his godfather Flaubert, the famous novelist, under whom he served an apprenticeship of seven years. While Maupassant is impersonal and objective in his treatment, his writings reflect his own experiences. Several of his stories have to do with the Franco-Prussian War of 1870, in which Maupassant served; *La Parure* deals with a clerk in the Ministry of Public Education who had a position similar to one held by Maupassant; *La Ficelle* is a tale of Norman peasants such as Maupassant knew. Towards the latter part of his life he developed a nervous disease ending in insanity. Some of his later stories show his morbid tendencies.

Maupassant wrote several novels, but his best work lies in the field of the short story. These stories translate well, for with Maupassant the absence of style is style itself. In several pages he can give a complete picture of a person's life, as in *La Parure*, which has been called the perfect short story. It is studied in France and abroad as a model of its kind.

Short stories by Maupassant are found in the following books of The Century Modern Language Series: *Easy French Fiction* by George D. Morris, *Nineteenth Century French Prose* by Galland and Cros and *Intermediate French Grammar and Readings* by Kurz.

LA PARURE [1]

C'était une de ces jolies et charmantes filles, nées, comme par une erreur du destin, dans une famille d'employés. Elle n'avait pas de dot,[2] pas d'espérances, au-

[1] ornament   [2] dowry

cun moyen d'être connue, comprise, aimée, épousée par un homme riche et distingué; et elle se laissa marier avec un petit commis [3] du ministère de l'instruction publique.[4]

Elle fut simple, ne pouvant être parée, mais malheureuse comme une déclassée [5]; car les femmes n'ont point 5 de caste ni de race, leur beauté, leur grâce et leur charme leur servant de naissance et de famille. . . .

Elle souffrait sans cesse, se sentant née pour toutes les délicatesses et tous les luxes. Elle souffrait de la pauvreté de son logement,[6] de la misère des murs, de l'usure [7] 10 des sièges, de la laideur [8] des étoffes [9]. . . .

Elle n'avait pas de toilettes,[10] pas de bijoux,[11] rien. Et elle n'aimait que cela; elle se sentait faite pour cela. Elle eût tant désiré plaire, être enviée, être séduisante [12] et recherchée.   15

Elle avait une amie riche, une camarade de couvent qu'elle ne voulait plus aller voir, tant elle souffrait en revenant. Et elle pleurait pendant des jours entiers, de chagrin, de regret, de désespoir et de détresse.

Or, un soir, son mari rentra, l'air glorieux, et tenant à 20 la main une large enveloppe.

— Tiens, dit-il, voici quelque chose pour toi.

Elle déchira vivement le papier et en tira une carte imprimée qui portait ces mots:

« Le ministre de l'instruction publique et Mme Georges 25 Ramponneau prient M. et Mme Loisel de leur faire l'honneur de venir passer la soirée à l'hôtel du ministère, le lundi 18 janvier. »

Au lieu d'être ravie, comme l'espérait son mari, elle jeta avec dépit [13] l'invitation sur la table, murmurant: 30

[3] clerk, book-keeper   [4] This is now called the *ministère de l'Éducation nationale*.   [5] one rejected by his own class   [6] dwelling   [7] worn appearance   [8] ugliness   [9] hangings, upholstery   [10] evening dress   [11] jewels   [12] fascinating   [13] resentment

— Que veux-tu que je fasse de cela ?

— Mais, ma chérie, je pensais que tu serais contente. Tu ne sors jamais, et c'est une occasion, cela, une belle ! J'ai eu une peine infinie à l'obtenir.... Tu verras là tout
5 le monde officiel.

Elle le regardait d'un œil irrité, et elle déclara avec impatience:

— Que veux-tu que je me mette sur le dos pour aller là ?

10 Il n'y avait pas songé; il balbutia [14]:

— Mais la robe avec laquelle tu vas au théâtre. Elle me semble très bien, à moi ...

Il se tut,[15] stupéfait, éperdu,[16] en voyant que sa femme pleurait. Deux grosses larmes descendaient lentement
15 des coins des yeux vers les coins de la bouche; il bégaya [17]:

— Qu'as-tu ? qu'as-tu ?

Mais, par un effort violent, ... elle répondit d'une voix calme en essuyant ses joues humides:

— Rien. Seulement je n'ai pas de toilette et par
20 conséquent je ne peux aller à cette fête....

Il était désolé. Il reprit:

— Voyons, Mathilde. Combien cela coûterait-il, une toilette convenable,[18] qui pourrait te servir encore en d'autres occasions, quelque chose de très simple ?

25 Elle réfléchit quelques secondes, ... songeant à la somme qu'elle pouvait demander....

Enfin, elle répondit en hésitant:

— Je ne sais pas au juste, mais il me semble qu'avec quatre cents francs [19] je pourrais arriver.

---

[14] stammered [15] He was silent (past definite of *se taire*). [16] bewildered [17] stammered [18] suitable [19] At the rate of exchange of the time, this would be about eighty dollars, since the franc was then worth about twenty cents.

Il avait un peu pâli, car il réservait juste cette somme pour acheter un fusil et s'offrir des parties de chasse, l'été suivant, dans la plaine de Nanterre,[20] avec quelques amis . . . le dimanche.

Il dit cependant:

— Soit. Je te donne quatre cents francs. Mais tâche d'avoir une belle robe.

Le jour de la fête approchait, et Mme Loisel semblait triste, inquiète, anxieuse. Sa toilette était prête cependant. Son mari lui dit un soir:

— Qu'as-tu ? Voyons, tu es toute drôle depuis trois jours.

Et elle répondit:

— Cela m'ennuie de n'avoir pas un bijou, pas une pierre, rien à mettre sur moi. J'aurai l'air misère comme tout. J'aimerais presque mieux ne pas aller à cette soirée.

Il reprit:

— Tu mettras des fleurs naturelles. C'est très chic en cette saison-ci. Pour dix francs tu auras deux ou trois roses magnifiques.

Elle n'était point convaincue.

— Non . . . il n'y a rien de plus humiliant que d'avoir l'air pauvre au milieu de femmes riches.

Mais son mari s'écria:

— Que tu es bête ! Va trouver ton amie Mme Forestier et demande-lui de te prêter des bijoux. Tu es bien assez liée avec elle pour faire cela.

Elle poussa un cri de joie:

— C'est vrai. Je n'y avais point pensé.

[20] a town near Paris

Le lendemain, elle se rendit chez son amie et lui conta sa détresse.

Mme Forestier . . . prit un large coffret,[21] l'apporta, l'ouvrit, et dit à Mme Loisel:

5 — Choisis, ma chère. . . .

Elle essayait les parures devant la glace, hésitait, ne pouvait se décider à les quitter, à les rendre. Elle demandait toujours:

— Tu n'as plus rien autre ?

10 — Mais si. Cherche. Je ne sais pas ce qui peut te plaire.

Tout à coup elle découvrit, dans une boîte de satin noir, une superbe rivière de diamants [22]; et son cœur se mit à battre d'un désir immodéré. Ses mains tremblaient
15 en la prenant. Elle l'attacha autour de sa gorge . . . et demeura en extase devant elle-même.

Puis, elle demanda, hésitante, pleine d'angoisse:

— Peux-tu me prêter cela, rien que cela ?

— Mais, oui, certainement.

20 Elle sauta au cou de son amie, l'embrassa avec emportement,[23] puis s'enfuit avec son trésor.

Le jour de la fête arriva. Mme Loisel eut un succès. Elle était plus jolie que toutes, élégante, . . . souriante et folle de joie. Tous les hommes la regardaient, deman-
25 daient son nom, cherchaient à être présentés. Tous les attachés du cabinet voulaient valser avec elle. Le ministre la remarqua.

Elle dansait avec ivresse,[24] . . . grisée [25] par le plaisir, ne pensant plus à rien, dans le triomphe de sa beauté,
30 dans la gloire de son succès. . . .

[21] casket (for jewels) [22] diamond necklace [23] passion [24] rapture
[25] intoxicated

Elle partit vers quatre heures du matin. Son mari, depuis minuit, dormait dans un petit salon désert avec trois autres messieurs dont les femmes s'amusaient beaucoup.

Il lui jeta sur les épaules les vêtements qu'il avait apportés pour la sortie, modestes vêtements de la vie ordinaire, dont la pauvreté jurait avec l'élégance de la toilette de bal. Elle le sentit et voulut s'enfuir, pour ne pas être remarquée par les autres femmes qui s'enveloppaient de riches fourrures.[26]

Loisel la retenait:

—Attends donc. Tu vas attraper [27] froid dehors. Je vais appeler un fiacre.[28]

Mais elle ne l'écoutait point et descendait rapidement l'escalier. Lorsqu'ils furent dans la rue, ils ne trouvèrent pas de voiture; et ils se mirent à chercher, criant après les cochers [29] qu'ils voyaient passer de loin. . . . Enfin ils trouvèrent sur le quai un de ces vieux coupés [30] noctambules [31] qu'on ne voit dans Paris que la nuit venue, comme s'ils eussent été honteux [32] de leur misère pendant le jour.

Il les ramena jusqu'à leur porte, rue des Martyrs, et ils remontèrent tristement chez eux. C'était fini, pour elle. Et il songeait, lui, qu'il lui faudrait être au Ministère à dix heures.

Elle ôta les vêtements dont elle s'était enveloppé les épaules, devant la glace, afin de se voir encore une fois dans sa gloire. Mais soudain elle poussa un cri. Elle n'avait plus sa rivière autour du cou !

Son mari, à moitié dévêtu déjà, demanda:

[26] furs [27] catch [28] cab [29] coachmen [30] cabs (from which the modern one-seated automobile took its name) [31] moving about by night [32] ashamed

— Qu'est-ce que tu as ?

Elle se tourna vers lui, affolée [33] :

— J'ai . . . j'ai . . . je n'ai plus la rivière de Mme Forestier.

5   Il se dressa, éperdu :

— Quoi ! . . . comment ! . . . Ce n'est pas possible !

Et ils cherchèrent dans les plis [34] de la robe, dans les plis du manteau, dans les poches, partout. Ils ne la trouvèrent point.

10   Il demandait :

— Tu es sûre que tu l'avais encore en quittant le bal ?

— Oui, je l'ai touchée dans le vestibule du Ministère.

— Mais, si tu l'avais perdue dans la rue, nous l'aurions entendue tomber. Elle doit être dans le fiacre.

15   — Oui. C'est probable. As-tu pris le numéro ?

— Non. Et toi, tu ne l'as pas regardé ?

— Non.

Ils se contemplaient atterrés. [35] Enfin Loisel se rhabilla.

20   — Je vais, dit-il, refaire tout le trajet [36] que nous avons fait à pied, pour voir si je ne la retrouverai pas.

Et il sortit. Elle demeura en toilette de soirée, sans force pour se coucher, abattue sur une chaise, sans feu, sans pensée.

25   Son mari rentra vers sept heures. Il n'avait rien trouvé.

Il se rendit à la Préfecture de police, [37] aux journaux, pour faire promettre une récompense, [38] aux compagnies de petites voitures, partout enfin où un soupçon [39]
30 d'espoir le poussait.

---

[33] frantic [34] folds [35] overwhelmed [36] journey [37] The head of the Parisian police force is called the *préfet de police*. [38] reward [39] suspicion

Elle attendit tout le jour, dans le même état d'effarement [40] devant cet affreux désastre.

Loisel revint le soir, avec la figure creusée, pâlie; il n'avait rien découvert.

— Il faut, dit-il, écrire à ton amie que tu as brisé la [5] fermeture de sa rivière et que tu la fais réparer. Cela nous donnera le temps de nous retourner.

Elle écrivit sous sa dictée.

Au bout d'une semaine, ils avaient perdu toute espérance. [10]

Et Loisel, vieilli de cinq ans, déclara:

— Il faut aviser à remplacer ce bijou.

Ils prirent, le lendemain, la boîte qui l'avait renfermé, et se rendirent chez le joaillier,[41] dont le nom se trouvait dedans. Il consulta ses livres: [15]

— Ce n'est pas moi, madame, qui ai vendu cette rivière; j'ai dû seulement fournir l'écrin.[42]

Alors ils allèrent de bijoutier [43] en bijoutier, cherchant une parure pareille à l'autre. . . .

Ils trouvèrent, dans une boutique [44] du Palais-Royal,[45] [20] un chapelet [46] de diamants qui leur parut entièrement semblable à celui qu'ils cherchaient. Il valait quarante mille francs. On le leur laisserait à trente-six mille.

Ils prièrent donc le joaillier de ne pas le vendre avant trois jours. Et ils firent condition qu'on le reprendrait, [25] pour trente-quatre mille francs, si le premier était retrouvé avant la fin de février.

Loisel possédait dix-huit mille francs que lui avait laissés son père. Il emprunterait [47] le reste.

Il emprunta, demandant mille francs à l'un, cinq cents [30]

---

[40] bewilderment   [41] jeweler   [42] case   [43] jeweler   [44] shop   [45] a former palace now occupied by shops   [46] necklace   [47] would borrow

à l'autre, cinq louis [48] par-ci, trois louis par-là. Il fit des billets, prit des engagements ruineux, eut affaire aux usuriers.... Il compromit toute la fin de son existence, risqua sa signature sans savoir même s'il pourrait y 5 faire honneur, et, épouvanté [49] par les angoisses de l'avenir,... il alla chercher la rivière [50] nouvelle, en déposant sur le comptoir du marchand trente-six mille francs.

Quand Mme Loisel reporta la parure à Mme Forestier, 10 celle-ci lui dit, d'un air froissé [51]:

— Tu aurais dû me la rendre plus tôt, car je pouvais en avoir besoin.

Elle n'ouvrit pas l'écrin, ce que redoutait son amie. Si elle s'était aperçue de la substitution, qu'aurait-elle 15 pensé? qu'aurait-elle dit?...

Mme Loisel connut la vie horrible de nécessiteux. Elle prit son parti,[52] d'ailleurs, tout d'un coup, héroïquement. Il fallait payer cette dette effroyable.[53] Elle payerait. On renvoya la bonne [54]; on changea de logement; on loua [55] 20 sous les toits une mansarde.[56]

Elle connut les gros travaux du ménage, les odieuses [57] besognes de la cuisine. Elle lava [58] la vaisselle [59].... Elle savonna [60] le linge [61] sale,[62] les chemises [63] et les torchons,[64] qu'elle faisait sécher sur une corde; elle descendit à la 25 rue, chaque matin, les ordures,[65] et monta l'eau, s'arrêtant à chaque étage pour souffler. Et, vêtue comme une femme du peuple, elle alla chez le fruitier, chez

[48] a French gold coin worth about four dollars [49] terrified [50] necklace [51] offended [52] she made up her mind [53] dreadful [54] maid [55] rented [56] garret (under a mansard roof) [57] disagreeable [58] washed [59] dishes [60] washed with soap [61] household linen [62] dirty, soiled [63] shirts [64] dishcloths [65] garbage

l'épicier,[66] chez le boucher,[67] le panier [68] au bras, marchan-dant,[69] injuriée,[70] défendant sou à sou son misérable argent.

Il fallait chaque mois payer des billets, en renouveler [71] d'autres, obtenir du temps.

Le mari travaillait le soir à mettre au net les comptes d'un commerçant, et la nuit, souvent, il faisait de la copie à cinq sous la page.

Et cette vie dura dix ans.

Au bout de dix ans, ils avaient tout restitué,[72] tout, avec le taux [73] de l'usure, et l'accumulation des intérêts super-posés.

Mme Loisel semblait vieille, maintenant. Elle était devenue la femme forte, et dure, et rude, des ménages pauvres. Mal peignée,[74] avec les jupes de travers et les mains rouges, elle parlait haut, lavait à grande eau les planchers.[75] Mais parfois, lorsque son mari était au bureau, elle s'asseyait auprès de la fenêtre, et elle songeait à cette soirée d'autrefois, à ce bal, où elle avait été si belle et si fêtée.

Que serait-il arrivé si elle n'avait point perdu cette parure ? Qui sait ? . . . Comme la vie est singulière, changeante ! Comme il faut peu de chose pour vous perdre ou vous sauver !

Or, un dimanche, comme elle était allée faire un tour aux Champs-Elysées [76] pour se délasser [77] des besognes de la semaine, elle aperçut tout à coup une femme qui promenait un enfant. C'était Mme Forestier, toujours jeune, toujours belle, toujours séduisante.

Mme Loisel se sentit émue. Allait-elle lui parler ?

---

[66] grocer [67] butcher [68] basket [69] bargaining [70] insulted [71] renew [72] restored [73] interest [74] combed [75] floors [76] one of the most beautiful avenues of Paris [77] relax

Oui, certes. Et maintenant qu'elle avait payé, elle lui dirait tout. Pourquoi pas ?

Elle s'approcha.

— Bonjour, Jeanne.

5   L'autre ne la reconnaissait point, s'étonnant d'être appelée ainsi familièrement par cette bourgeoise. Elle balbutia:

— Mais . . . madame ! . . . Je ne sais . . . Vous devez vous tromper.

10   — Non. Je suis Mathilde Loisel.

Son amie poussa un cri:

— Oh ! . . . ma pauvre Mathilde, comme tu es changée ! . . .

— Oui, j'ai eu des jours bien durs, depuis que je ne 15 t'ai vue; et bien des misères . . . et cela à cause de toi !

— De moi . . . Comment ça ?

— Tu te rappelles bien cette rivière de diamants que tu m'as prêtée pour aller à la fête du Ministère.

— Oui. Eh bien ?

20   — Eh bien, je l'ai perdue.

— Comment ! puisque tu me l'as rapportée.

— Je t'en ai rapporté une autre toute pareille. Et voilà dix ans que nous la payons. Tu comprends que ça n'était pas aisé pour nous, qui n'avions rien. . . . Enfin 25 c'est fini, et je suis rudement contente.

Mᵐᵉ Forestier s'était arrêtée.

— Tu dis que tu as acheté une rivière de diamants pour remplacer la mienne ?

— Oui, tu ne t'en étais pas aperçue, hein ? Elles 30 étaient bien pareilles.

Et elle souriait d'une joie orgueilleuse et naïve.

Mᵐᵉ Forestier, fort émue, lui prit les deux mains.

— Oh ! ma pauvre Mathilde ! Mais la mienne était fausse. Elle valait au plus cinq cents francs !

FRANCIS JAMMES

Francis Jammes (1868–1938) is the humble poet of the home and country life. He lived in the Pyrenees region and took little interest in Paris. He wrote especially of southern France and of the French West Indies where his father and grandfather had lived. Jammes was a fervent Catholic and many of his poems tell of a simple faith. He described the birds, the fields, the flowers, his family and his friends. His natural and graceful prose treats the same themes as his poetry.

In *La Salle à manger*, Jammes pictures the old sideboard, clock, and cupboard as friends with souls, filled with the memories of the life lived there. In his poetry, he uses end rime but has freed himself from many of the restraints of classic verse such as eye rime, capitalization of the initial letter of the line, and a fixed number of syllables to the line.

LA SALLE A MANGER

Il y a une armoire [1] à peine luisante [2]
qui a entendu les voix de mes grand'tantes,
qui a entendu la voix de mon grand-père,
qui a entendu la voix de mon père.
A ces souvenirs l'armoire est fidèle.   5
On a tort de croire qu'elle ne sait que se taire,
car je cause avec elle.

Il y a aussi un coucou [3] en bois.
Je ne sais pourquoi il n'a plus de voix.
Je ne veux pas le lui demander.   10

[1] cupboard   [2] shiny   [3] This cuckoo clock no longer sounds the hours.

Peut-être bien qu'elle est cassée,
la voix qui était dans son ressort,[4]
tout bonnement [5] comme celle des morts.

Il y a aussi un vieux buffet
5 qui sent la cire,[6] la confiture,[7]
la viande, le pain et les poires [8] mûres.
C'est un serviteur fidèle qui sait
qu'il ne doit rien nous voler.

Il est venu chez moi bien des hommes et des femmes
10 qui n'ont pas cru à ces petites âmes.
Et je souris que l'on me pense seul vivant
quand un visiteur me dit en entrant:
— Comment allez-vous, monsieur Jammes ?

De l'Angélus [9] *de l'aube* [10] *à l'Angélus du soir* (*1898*)

[4] spring, works [5] simply, plainly, just [6] wax [7] preserves, jam
[8] pears [9] call to prayer [10] dawn

VOCABULARY

VOCABULARY

This vocabulary is intended to contain all the words of the text with the following exceptions: definite and indefinite articles; personal, possessive, demonstrative, relative, and interrogative pronouns; demonstrative and possessive adjectives; cardinal numbers; words, including proper names, which are identical in form and meaning in English and French. Nouns, and words used as nouns, are indicated by *m.* or *f.*

A

à to, at, in, by

abaisser to lower

abandonner to abandon

abattre to knock down, pull down, let fall; s'— to throw oneself down, pounce upon

abîme *m.* abyss, the deep

abord *m.* beginning; d'— at first, from the beginning

absolument absolutely

académie *f.* academy

accabler to overpower, weigh down

accent *m.* accent, tone

accès *m.* access, approach

accord *m.* accord, harmony; d'— agreed

accourir to run up, hasten

accoutumer to accustom

acheter to buy

achever to finish, achieve

acquérir to acquire

acte *m.* act

acteur *m.* actor

adieu *m.* good-bye, farewell

admirable noteworthy, wonderful

adoré adored, beloved

adresser to address; s'— to apply, address oneself

ægipan *m.* satyr with goat's head and fish's tail said to have lived in the Egyptian desert

affaire *f.* affair, business; avoir — à to have dealings with; point d'—s nothing doing

affecter to affect, pretend

affection *f.* affection, love

affliger to afflict, distress

affolé infatuated, distracted, frantic

affreux dreadful

affût *m.* gun-carriage

afin de in order to

afin que in order that

âge *m.* age, years

agir to act

agiter to move about, agitate

agneau *m.* lamb

agnelet *m.* lambkin

aide *f.* aid, help

aider to aid, help

aïeul (aïeux *pl.*) *m.* ancestor

aigle *m.* eagle

aiguiser to whet, sharpen

aile *f.* wing

ailleurs elsewhere; **d'**— moreover

aimable agreeable, pleasant

aimer to like, love

ainsi thus, so; — **que** in the same way as, at the same time as

air *m.* air, manner, way

airain *m.* brass

aire *f.* area, space; — **de vent** (*nautical*) point of compass

aise glad, well pleased; **j'en suis fort** — I am very glad for it; *f.* ease, comfort; **à mon** — at ease

aisé easy

aisément easily

ajouter to add

allécher to attract, entice

allégresse *f.* gaiety, joy

Allemagne *f.* Germany

Allemand *m.* German

aller to go; **s'en** — to go away, go along; come on; **allons** come now; **va donc** I consent; **allez, allez** come, come!; **comment allez-vous?** how are you?

alors then; — **que** whereas

amant *m.* lover

âme *f.* soul, spirit

amener to bring in, conduct, introduce

amer bitter, harsh

Américain *m.* American

Amérique *f.* America

ami *m.*, **amie** *f.* friend

amitié *f.* friendship

amont *m.* upstream

amour *m.* love

amoureux in love, enamoured

amusement *m.* amusement, entertainment

amuser to amuse; **s'**— to have a good time

an *m.* year; **avoir dix-huit** —**s** to be eighteen years old

anachorète *m.* anchorite, hermit

ancien, –ne former, ancient

ancre *f.* anchor

ange *m.* angel

angevin of Anjou (ancient French province)

Anglais *m.* Englishman; *adj.* English

Angleterre *f.* England

angoisse *f.* anguish

anguille *f.* eel

année *f.* year

annoncer to announce

antan *m.* last year

anthropologie *f.* anthropology (science which treats of the origin, development, characteristics, and varieties of mankind)

antichambre *f.* antichamber, waiting room

antilope *f.* antelope

Antoine *m.* Anthony (third-century Egyptian hermit and saint)

anxieux anxious

août *m.* August

apaiser to calm, pacify

apercevoir to perceive, notice; **s'en** — to notice, observe

apostolat *m.* apostleship

apothicaire *m.* druggist

apparaître to appear

appareil *m.* apparatus, equipment

apparence *f.* appearance

appartement *m.* apartment, lodging

appartenir to belong

appeler to call, name; **s'**— to be named

appétit *m.* appetite

apporter to bring, carry, bring along

apprendre to learn, show, teach

approcher to approach; **s'—** to approach, draw near

après after; **épuiser leur science — elle** to exhaust their learning upon her

aquilon *m.* north wind

ara *m.* macaw (bird of same family as the parrot)

Arabe *m.* Arab

arbre *m.* tree

archange *m.* archangel

ardeur *f.* ardor, eagerness

ardoise *f.* slate

argent *m.* silver, money

Aristote *m.* Aristotle (Greek philosopher of the fourth century B. C.)

arme *f.* arm; **sous les —s** in the army

armée *f.* army

armer to arm

armoire *f.* cupboard

arracher to pull away, extract, pull out

arrêter to stop, arrest; **s'—** to stop; **s'— à** to be determined, decided upon

arrière *m.* rear, back part; **à l'—** behind

arriver to arrive, happen, succeed; **il est arrivé** there has happened

asile *m.* asylum, refuge

aspect *m.* aspect, view

assassiner to assassinate, kill

asseoir (s') to sit, sit down

assez enough, rather

assiduité *f.* application, attention

assis seated

assistance *f.* assistance, aid

assommer to beat unmercifully

assurément assuredly, certainly

assurer to assure

astre *m.* star; **l'— au front d'argent** the moon

attaché *m.* attaché (member of staff in government office)

attacher to attach, fasten

attaquer to attack, seize

attendre to wait, wait for; **s'— à** to expect

attenti–f, –ve attentive

atterré overwhelmed

attraper to catch

attristé saddened

aube *f.* dawn

aucun no, none, not any

audacieux presumptuous, bold

au-dessus de above

augmenter to increase

auguste august, majestic

aujourd'hui today

auprès near; **— de** near to, close to

aurore *f.* dawn

aussi also, so, as

aussitôt immediately

austérité *f.* austerity, mortification of the flesh

autant as much, so much, so many

auteur *m.* author

automne *m.* autumn

autour about, around; **— de** around

autre other; **nous —s grands médecins** we great physicians; *noun* another person

autrefois formerly

autrement otherwise

autrui others, other people; **qui a de part — danger** who is in danger because of others

aval *m.* downstream

avance *f.* advance payment
avancer (s') to advance, go on
avant before; **en — in** front;
— de before
avantage *m.* advantage
avec with
avenir *m.* future
aventure *f.* adventure
avertir to warn
avertissement *m.* information,
advice
avis *m.* opinion, judgment
aviser to consider, think about
avoir (**eu**, *past participle*) to
have; **qu'avez-vous?** what is
the matter with you?; **vous
avez beau faire** it is useless for
you to make; **il y a** there is,
there are; **il y a six mois** six
months ago; *m.* possession,
property
avouer to confess
azur *m.* azure, blue

B

babil *m.* babble, chattering
bagatelle *f.* trinket, trifle
bailler to give
baiser to kiss
baisser to lower
bal *m.* ball, dance
balbutier to stammer
banc *m.* bench
barbe *f.* beard
bas, –se low, in a low voice;
ce — monde this world here
below; *m.* lower part, bottom; **en —** down, to the
bottom; **là-—** over there
bastille *f.* fort
bataille *f.* battle
bataillon *m.* battalion, troop
bâtiment *m.* building

bâtir to build
bâton *m.* stick; **coup de —**
beating
battement *m.* beating
battre to beat, strike; **le cœur
me battait** my heart was
pounding; **se —** to fight
beau, belle beautiful, fine, hand-
some
beaucoup much, many, a great
deal
beau-père *m.* father-in-law
beauté *f.* beauty
bec *m.* beak, bill
bégayer to stammer
bénir to bless
bercer to rock, sway
Bernoise *f.* woman from Berne
(city and canton in Switzerland)
Berthe *f.* Bertha; **— au grand
pied** Bertha of the large foot
(the mother of Charlemagne)
besogne *f.* task
besoin *m.* need; **avoir — de** to
need
bête *f.* animal, beast; *adj.*
stupid; **que tu es —** how
stupid you are!
bien well, properly, truly, indeed; nice, good; **— des**
many; *m.* property, possessions, good, benefit
bienheureux blessed; *noun* one
of the blessed
bientôt soon
Biétris *f.* Beatrice
bijou *m.* jewel
bijoutier *m.* jeweler
bille *f.* marble
billet *m.* note
bise *f.* cold north wind
bizarre fantastic, strange, bizarre

blanc, –he white
blanchir to whiten
bleu blue
boire to drink; **— un coup** to have a drink
bois *m.* wood, forest
boiser to wainscot (line or panel interior walls with wood)
boîte *f.* box
bon, –ne good; **tout de —** really, for sure, seriously; *m.* that which is good, the best
bonbon *m.* piece of candy, bonbon
bonheur *m.* happiness
bonjour *m.* good-morning
bonne *f.* servant, child's maid
bonnement honestly, truly, simply, plainly
bonnet *m.* cap
bord *m.* edge, shore
bouc *m.* he-goat
bouche *f.* mouth
boucher *m.* butcher
bouchon *m.* stopper, cork
bouffonner to jest
bouger to move, stir
bougie *f.* wax candle
bouquet *m.* bouquet, bunch
bourgeois, –e *m., f.* bourgeois, person of the middle class
bourse *f.* purse
bout *m.* end, extremity; **venir à —** to succeed, get through
bouteille *f.* bottle
bouter to put; **s'y —** to make up his mind to it
boutique *f.* shop
bouton *m.* button
bramer to roar, bellow
branche *f.* branch
bras *m.* arm
bride *f.* bridle
brise *f.* breeze

briser to break
broderie *f.* embroidery
brouiller (se) to quarrel
bru *f.* daughter-in-law
bruit *m.* noise, sound
brûler to burn
brusquement quickly, suddenly
buffet *m.* buffet, sideboard
bureau *m.* office
buste *m.* bust, head and shoulders
but *m.* aim, end

C

çà here, now
cabane *f.* hut, cabin
cabinet *m.* office, small room, ministry
cacher to conceal, hide
cadence *f.* cadence, rhythm
café *m.* coffee
calendrier *m.* calendar
calme *m.* calm; *adj.* calm
camarade *m., f.* comrade
campagne *f.* campaign, country
candeur *f.* candor, frankness, ingenuousness
cantique *m.* hymn
capacité *f.* ability, size, extent
capitaine *m.* captain
caprice *m.* caprice, whim, freak
capricieux capricious, whimsical
car because, for
caractère *m.* character, disposition
carrière *f.* course
carte *f.* card; **— de visite** calling card
cas *m.* case; **faire — de** to esteem
casser to break
cause *f.* cause, reason; **à — de** because of
causer to cause; chat, talk
cavalière *f.* horse-woman

caveau *m.* cavern, vault, cellar
céder to cede, give up
cèdre *m.* cedar; — de Liban cedar of Lebanon
célèbre celebrated, famous
céleste celestial, heavenly
cellule *f.* cell
censer to suppose
cependant however
cerise *f.* cherry
certain certain, special
certainement certainly
certes certainly
cesse *f.* ceasing, rest
cesser to stop, cease
chacun each, each one, everyone
chagrin *m.* grief, vexation
chaîne *f.* chain
chair *f.* flesh
chaise *f.* chair
chaleur *f.* warmth, heat
chambre *f.* room, bedroom; — à coucher bedroom
champ *m.* field
chanceler to totter
changement *m.* change
changer to change; — de to change (from one thing to another)
chanson *f.* song, idle story
chant *m.* song
chanter to sing
chapeau *m.* hat
chapelet *m.* necklace
chapelle *f.* chapel
chapitre *m.* chapter
chaque each
charger to load; se — de to undertake, be responsible for
charmant charming
charme *m.* charm
charmé charmed, delighted
chasse *f.* chase, hunt
chasser to hunt, chase, drive out

chat *m.* cat
château *m.* castle, country residence, palace
châtier to punish
châtiment *m.* punishment
châtrer to castrate
chaud warm
chauffer to warm
chauve bald
chef *m.* chief, head
chemin *m.* road
cheminée *f.* fire-place, chimney
chemise *f.* shirt
chêne *m.* oak
cher dear
chercher to seek, try to find, search
chéri beloved, dear
cheval *m.* horse
chevalier *m.* knight
cheveu *m.* hair
chez at the house of, with, to the house of
chic stylish, elegant
chien *m.* dog; — de chasse hunting dog
choir to fall
choisir to choose
choix *m.* choice
choquer to shock, strike
chose *f.* thing
chouette *f.* screech-owl
chrétien *m.* Christian
chute *f.* fall
ci here; cette eau-— this water
ciel (cieux *pl.*) *m.* sky, heaven
cigale *f.* grasshopper, cicada
cilice *m.* haircloth
cire *f.* wax
cirer to wax
citer to cite, name, summon
citoyen *m.* citizen
civilité *f.* civility, politeness

clair clear, bright
clarté f. light, brightness
cloche f. bell
clocher m. belfry, beil-tower
clos m. field (around the house)
cocher m. coachman
coco m. licorice-water
cœur m. heart; de bon —
  willingly
coffret m. casket (for jewels)
cohorte f. cohort, troop
coin m. corner
colère f. anger
colombe f. dove
colonie f. colony
colonne f. column, pillar
combien how many, how much
combler to overwhelm, load
commander to command, order
comme as, like, how
commencer to commence, begin
comment how; what!
commerçant m. merchant
commerce m. commerce, trade
commis m. clerk, book-keeper
commissaire m. commissioner
  (of police), officer
communiquer to communicate,
  impart, extend; se — to be
  communicative
compagnie f. company
comparer to compare
compère m. comrade
composer to compose
comprendre to understand
compromettre to compromise,
  endanger
compte m. account, reckoning;
  rendre — de to account for
comptoir m. counter
comte m. count
concert m. concert; en — together
concevoir to conceive, imagine

conclure to conclude, finish
condamner to condemn
conduire to lead, conduct
confesser to confess
confier to confide, trust
confiture f. preserves, jam
conformer (se) to comply with
confus confused, abashed, crest-
  fallen, indistinct, vague
confusément vaguely, confusedly
conjurer to implore
connaissance f. acquaintance,
  knowledge, learning
connaître to know, recognize
conquérir to conquer
conscience f. conscience; en
  — conscientiously, truly
consentir to consent, agree
conséquent m. consequence; par
  — consequently
conserver to keep, maintain
considérer to consider
consister to consist
consulter to consult
contemplation f. contemplation,
  meditation
contempler to contemplate, look
  at
content happy, content
contentement m. contentment,
  satisfaction
contenter to content, satisfy
conter to tell
continuer to continue
contraire m. contrary; au — on
  the contrary
contre against
contredit m. contradiction
contribuer to contribute
convaincu convinced
convenable suitable
convive m. guest, member of
  family, table-companion
convoitise f. covetousness

copie *f.* copy

coquin *m.* rascal, rogue

cor *m.* horn

corbeau *m.* crow, raven

corde *f.* cord

corps *m.* body; — **de logis** part of building

cortège *m.* retinue, procession

côté *m.* side

coteau *m.* slope, hillside

cou *m.* neck

coucher to lay down, lodge; **se** — to go to bed, lie down; *m.* bed-time

coucou *m.* cuckoo, cuckoo clock

couler to flow, glide along

coup *m.* stroke, blow; **tout d'un** —, **tout à** — suddenly; **encore un** — once again; **du premier** — from the first

coupé *m.* cab

couper to cut

cour *f.* court, courtyard

courir (**couru**, *past participle*) to run; — **les champs** to roam over the fields

couronne *f.* crown

cours *m.* course

court short

courtisan *m.* courtier

cousin, –e *m.*, *f.* cousin; — **germain** first cousin

coûter to cost

coutume *f.* custom

couvent *m.* convent

couvert *m.* dinner things (knife, fork, spoon, plate), cover; *adj.* covered

couverture *f.* coverlet

couvrir to cover; **se** — to put on one's hat

craindre to fear; **je crains qu'il ne l'étouffe** I fear that it will choke her

crainte *f.* fear

craquer to crack, snap

crasseux dirty, filthy

création *f.* creation, universe

crème *f.* cream

créneau *m.* battlement (notched top of tower)

crête *f.* crest, top

creuser to hollow out, excavate

creux hollow

crever to burst, break open

cri *m.* cry, shout

crier to cry, shout, plead, creak

crin *m.* horsehair

croire (**cru**, *past participle*) to believe, think

cueillir to gather, seize

cuir *m.* leather

cuisine *f.* kitchen

cuisiner to cook

cuisinière *f.* cook

culotte *f.* breeches; —**s fendues** child's pants

D

dame *f.* lady

danger *m.* danger, risk

dans in

danser to dance

davantage more, further

de of, from, with, some, any

débarrasser (**se**) to get rid of, shake off, free oneself

débattre (**se**) to struggle

débauche *f.* debauchery, drunkenness

débauché *m.* dissolute or dissipated person, rake

débordement *m.* torrent, flood

décembre *m.* December

décence *f.* decency, propriety

déchirer to tear

décider to decide; **se** — **to** make up one's mind

déclarer to declare

déclassé, −e *m.*, *f.* person rejected by his own class

déclore (déclos, *past participle*) to open, unclose

découvrir to discover

décroître to decrease, diminish

dédaigner to disdain, scorn

dédain *m.* disdain, scorn

dedans within

défaut *m.* fault, lack

défendre to defend, protect, forbid; se — de to deny

dégoûter to disgust

degré *m.* degree

déguiser to disguise

dehors outside

déjà already

déjeuner to take lunch, breakfast; *m.* lunch

délasser (se) to relax, refresh oneself

délicat delicate

délicatesse *f.* nicety, refinement

délices *m. pl.* delight, pleasure

délivrer to deliver, free; se — de to get rid of

déloger to remove, dislodge

demain tomorrow

demander to ask, demand

démanger to itch

déménager to move, change one's residence

démentir to contradict

demeure *f.* dwelling

demeurer to live, remain, stay

demi half; —-heure *f.* half-hour; —-chauve half-bald; à — half-way

demoiselle *f.* young lady

dent *f.* tooth

déparler to cease talking

dépendre to depend; — de to belong to

dépens *m.* expense, cost

dépenser to spend

dépérir to decline, decay

dépit *m.* spite, resentment; en — de in spite of

déplaire to displease; ne vous déplaise may it not displease you

déployer to spread out

déposer to lay down, deposit

dépourvu unprovided for

depuis since, from, afterwards

déraciner to root up, pull out

déranger to bother, disturb

dernier last

dérober to steal, take from

derrière behind

dès from, since, as early as; — que from the time that; — lors from that time on

désastre *m.* disaster

desceller to loosen

descendre to descend, go down, take down

désenchantement *m.* disenchantment

désert *m.* desert; *adj.* deserted

désespéré desperate, hopeless

désespoir *m.* despair

déshabiller to undress

désir *m.* desire

désirer to desire

désolé grieved, broken-hearted

désormais henceforth

dessein *m.* plan, purpose; à — de in order to

dessus over, on, upon

destin *m.* destiny, fate

destrier *m.* war-horse

destructeur destructive

déterminer to determine

détester to detest, hate

détresse distress, grief, anguish

dette *f.* debt

deuil *m.* mourning, sorrow

devant before, in front of

devenir to become

dévêtir to undress

deviner to guess

devoir (dû, *past participle*) to owe, must, ought; **elle devait revoir** she was to see again; *m.* duty; **rendre les —s** to pay the respects

dévorer to devour, consume

diable *m.* devil; **que —** what the deuce!

diamant *m.* diamond

dictée *f.* dictation

dieu *m.* god; **mon Dieu** my goodness!

différer to defer, postpone

difficile difficult

difficulté *f.* difficulty

dignité *f.* dignity

dimanche *m.* Sunday

dîner to dine; *m.* dinner

dire to say, tell; **c'est-à-—** that is to say; **tout dise** let everything say

discours *m.* discourse, speech

discrétion *f.* discretion, prudence

disparaître to disappear, be lost to sight

dispenser to distribute, bestow

disperser to scatter

disposer to prepare, dispose; **se —** to get ready

dissimuler to dissemble, hide a secret, pretend

dissiper to dispel, disperse

distingué distinguished

distraire to distract; **se —** to be disturbed

distribuer to distribute, arrange

divers different, varying

divertir to amuse

divertissement *m.* pastime, recreation

divinement divinely

docteur *m.* doctor

doigt *m.* finger

domestique *m.* servant, body of servants, household

donc then, therefore

donner to give; **— sur** to face, open on

dormir to sleep

dos *m.* back

dot *f.* dowry

doucement gently, slowly, mildly, sweetly

douceur *f.* sweetness, mildness, gentleness

douleur *f.* pain, suffering

doute *m.* doubt; **sans —** certainly; **sans aucun —** without any doubt

douter to doubt

doux, douce sweet, gentle

douzaine *f.* dozen

dresser (se) to stand erect, straighten up

drogue *f.* drug

droit right, straight, erect

drôle queer, funny; *noun* rascal

duc *m.* duke

dur harsh, hard

durement harshly, bitterly

durer to last, endure

E

eau *f.* water; **à grande —** with a large quantity of water

éblouir to dazzle, fascinate

ébranler to shake

échanger to exchange

échapper to escape; **s'—** to escape; **— belle** to have a narrow escape

éclair *m.* lightning

éclaircir to clarify, enlighten, explain

éclairé lighted

éclos (éclore, *infinitive*) opened

écœurer (s') to disgust, discourage

économie *f.* economy

écouler (s') to pass away, flow along, glide along

écouter to listen to, hear, pay attention to

écrier (s') to cry out, exclaim

écrin *m.* jewel box or case

écrire to write

écrouler (s') to fall down, collapse

écume *f.* foam

écurie *f.* stable

écuyer *m.* squire

édifice *m.* edifice, building

effacer to erase, rub out, eliminate

effarement *m.* bewilderment, terror

effarer to frighten, scare

effectivement really, in fact

effet *m.* effect, result

effroyable frightful, dreadful

égal equal

eh ! ah !; — bien oh well, so be it !

élancer to dart, dash; s'— to rush forward, leap

électricité *f.* electricity

élever to raise; s'— to arise

éloigner to remove, dismiss; s'— to go away, withdraw, move away

embarras *m.* embarrassment

embarrasser to embarrass, trouble; s'— to be at a loss, be confused

embaumé scented, perfumed

embrasser to embrace, kiss

embrasure *f.* window-opening, recess of window

émerger to emerge, rise out

émouvoir (ému, *past participle*) to move

empêchement *m.* impediment, obstruction

empêcher to prevent, hinder

emploi *m.* function

employé *m.* employee

employer to employ, use

emportement *m.* passion, ecstasy

emporter to carry off, bear along; le diable m'emporte may the devil take me; s'— to fly into a rage

emprunter to borrow

emprunteur *m.*, emprunteuse *f.* borrower

ému moved, touched

en in, into, on; while

encensoir *m.* censer (for incense in church)

encore (encor, *poetical*) still, yet, again, also; — une fois again

encourager to encourage

endormir (s') to fall asleep, slumber

endroit *m.* place

endurant patient, enduring, tolerant

endurer to endure, bear

enfant *m.*, *f.* child

enfantin childlike

enfer *m.* hell

enfermer to enclose, shut up

enfin finally, at last

enfuir (s') to flee, run away

engagement *m.* promise, obligation

engloutir to devour, absorb, swallow; s'— to be devoured, engulfed enivrer to intoxicate

enlever to take away, remove, kidnap; — le couvert to clear the table

ennemi *m.* enemy; l'— the devil; *adj.* enemy, hostile

ennui *m.* ennui, bother, trouble, boredom

ennuyer to bore, weary, bother; s'— to be bored, be sad

énorme enormous

enquérir to inquire

enrichir to enrich

enseigner to teach

ensemble together

ensevelir to bury

ensuite then, next

entendre to hear, understand

enterrer to bury

entêté stubborn, obstinate, infatuated

entier entire, complete

entièrement entirely

entre between, among

entrée *f.* entrance, beginning

entreprise *f.* enterprise

entrer to enter

entretenir to maintain, converse, talk with, support

entretien *m.* conversation

enveloppe *f.* envelope

envelopper to wrap, envelop

envie *f.* envy, desire, wish; avoir — de to wish, be eager to

envier to envy

environ about

environs *m. pl.* vicinity

envoi *m.* sending, parcel, thing sent

envoler (s') to fly away, disappear, vanish

envoyer to send

épargner to spare, save

épaule *f.* shoulder

éperdu bewildered, aghast

éphémère short-lived

épicier *m.* grocer

époque *f.* epoch, period

épouser to marry

épouvanter to frighten, terrify; s'— to be frightened

époux *m.* husband

éprouver to feel, experience

épuiser to exhaust, wear out

équivoque doubtful, questionable

ermitage *m.* hermitage

ermite *m.* hermit

errer to wander, mistake, go astray

erreur *f.* error

escabelle *f.* stool

escalier *m.* staircase

esclave *m.* slave

Ésope *m.* Æsop (Greek fabulist)

espace *m.* space, duration, time

Espagne *f.* Spain

espèce *f.* kind, sort

espérance *f.* hope, expectation

espérer to hope

espoir *m.* hope

esprit *m.* spirit, mind, intelligence

essaim *m.* swarm

essayer to try, try on

essentiel, –le essential

essoyne (*old form*) *f.* difficulty

essuyer to wipe

est *m.* east

estampe *f.* print, engraving

estomac *m.* stomach

et and

établir to establish, found

étage *m.* story (of house), floor

étang *m.* pond, pool

état *m.* state, condition

été *m.* summer

éteindre to extinguish; s'— to be put out

étendre to extend
éternel, –le eternal
éternellement eternally, forever
éternité f. eternity
étincelle f. spark, flash
étoffe f. stuff, cloth; les —s hangings, upholstery
étoile f. star; nuit d' —s starry night
étonner to astonish; s'— to be surprised
étouffer to choke, suffocate; la peste m'étouffe may the plague choke me !
étourdir to astound, deafen
étrange strange
étrangler to strangle, choke to death
être to be; — à elle to be her place; m. being, individual
étriller to give a beating
étude f. study
étudier to study; que n'ai-je étudié ? why have I not studied ?
éveiller to wake up
éventer (s') to fan oneself
examiner to examine
exécuter to execute
exemple m. example; par — for example; à l'— following the example of
exercer to exercise, practice; s'— to practice
exhalaison f. exhalation
exiger to require, demand
existence f. existence, life
exister to exist
extase f. rapture, ecstasy
extérieur exterior
extraordinaire extraordinary, unusual
extravagant extravagant, wild
extravaguer to talk wildly, rave
extrémité f. extremity, end

F

fâché sorry, angry
fâcheux troublesome
facile easy
façon f. fashion, manner; de la — in this way
fagot m. fagot, bundle of sticks
faible feeble, weak
faire to make, do, say; — promettre to have promised; ne — que jouer to do nothing but play; où vous n'avez que — where you have nothing to do with it; que je fasse (*present subjunctive*) that I should do, make
faiseur m. maker
fait m. fact; *also past participle of* faire
falloir to be necessary; il faut it is necessary, one must; comme il faut properly, as one should; qu'il faille (*present subjunctive*) that it will be necessary
fameux famous
familiarité f. familiarity, intimacy
familièrement familiarly
famille f. family
famine f. famine, scarcity
fange f. mud, mire
fantaisie f. imagination, whim, caprice; à ma — as I wish
fantasque queer, strange, capricious
fat conceited, vain
fauteuil m. armchair
faux, fausse false
faveur f. favor; en — de in favor of, because of
feint pretended
feinte f. pretence

femme *f.* woman, wife; — **de chambre** chambermaid
fendre to break, split
fenêtre *f.* window
ferme firm
fermer to close
fermeture *f.* clasp, fastening
fesser to spank, thrash
fête *f.* festival, party
fêter to celebrate, entertain
feu *m.* fire
feuille *f.* leaf
février *m.* February
fi fie ! for shame !
fiacre *m.* cab
fidèle faithful
fier to trust; **se** — **à** to trust in
fierté *f.* pride
figure *f.* face, form, figure
figurer to figure, represent
fille *f.* daughter, girl
fils *m.* son
fin *f.* end
fin fine, delicate, clever; **tout** — **droit** right straight along
finir to finish
fixe fixed, regular
fixer to fix, establish
flambeau *m.* candlestick
flamme *f.* flame
flanc *m.* side
flatter to flatter
flatteur *m.*, **flatteuse** *f.* flatterer
fléchir to bend, give way
fleur *f.* flower
fleuri flowery, florid
fleuronner to flower, be in flower
florissant flourishing
flot *m.* wave
flotter to float
foi *f.* faith, honor; **être de bonne** — to act in good faith; — **d'animal** upon my honor as an animal; **ma** — upon my word
foie *m.* liver
foire *f.* fair, market
fois *f.* time, occasion; **à la** — at the same time
folâtrer to frolic, play
folie *f.* madness, folly, foolishness
foncièrement fundamentally, thoroughly
fonction *f.* function, act
fond *m.* bottom, extremity, further end; **dans le** — at bottom, in the main
fonder to found, establish
fontaine *f.* fountain, spring, cistern, water-tank
force *f.* strength, force, power; **à** — **de** by means of
forcer to force, take by force, storm, outrage
forêt *f.* forest
former to form, develop
fort very, much, very much; *adj.* strong
forteresse *f.* fortress
fosse *f.* pit, ditch
fou, folle foolish, mad; *noun* fool, madman
foudre *f.* lightning, thunderbolt
fouet *m.* whip
foule *f.* crowd
fouler to trample, crush; — **aux pieds** to trample under foot
fourmi *f.* ant
fournir to furnish
fourrer (*familiar*) to thrust, stuff; **se** — to intrude; **en me fourrant dans le dos** thrusting into my back
fourrure *f.* fur
foyer *m.* hearth, fireside

fracasser to break into pieces, shatter

frais *m.* expense

frais, fraîche fresh

franc *m.* franc (worth about twenty cents before the World War)

Français *m.* Frenchman

franchise *f.* frankness

François Francis I, king of France from 1515 to 1547

François (saint) Francis of Assisi (1182–1226), founder of the order of Franciscan friars who followed laws of poverty and asceticism; **fils de —** Franciscan friars

frapper to strike, beat

fredaine *f.* prank, joke

frémir to tremble, murmur

frère *m.* brother

friandise *f.* dainty, titbit

fripon *m.*, **friponne** *f.* rogue, rascal

frissonner to shiver, shudder, tremble

froid cold; *m.* cold

froidure *f.* cold

froisser to hurt, offend

fromage *m.* cheese

front *m.* front, façade, forehead

frotter to rub; **vous — les oreilles** to box your ears

fruitier *m.* fruit dealer

fugiti–f, –ve fugitive, fleeting

fuir to flee, avoid; **quoiqu'il fuie** (*present subjunctive*) although he flees from

fuite *f.* flight

fumer to smoke

funèbre mournful, funereal

furieusement furiously

fusil *m.* gun

fûtes (*past definite of* **être**); **vous —** you were

G

gagner to earn, win, gain

gai gay

gaieté, gaîté *f.* gaiety, cheerfulness

galanterie *f.* gallantry, compliment

galop *m.* gallop

garantir to protect

garçon *m.* boy

garde *f.* care, guard; **prendre —** to give heed, pay attention, mind

garder to keep, save; **se — de** to refrain, keep from

garnison *f.* garrison; **tenir —** to hold the fort, be situated

gâteau *m.* cake

gâter to spoil

gauche left

gaulois of Gaul, French

gémir to moan, sigh

généalogique genealogical

gêner to bother, disturb

génie *m.* genius

genou *m.* knee; **à —x** on his knees

genre *m.* kind, sort; **le — humain** mankind

gens *m. pl.* people, persons, servants

germain: cousin — first cousin

gésir to lie, be located

geste *m.* gesture

glace *f.* mirror

gloire *f.* glory, fame

glorieux glorious, proud

glouglou *m.* gurgling

gond *m.* hinge

gorge *f.* throat

gouffre *m.* gulf, abyss
goûter to taste, enjoy
goutte *f.* drop; **je n'y entends — I** don't understand a bit of it
gouvernement *m.* government
gouverner to govern, control
grâce *f.* grace, favor, thanks; **de —** please, for mercy's sake
grain *m.* grain, berry, bit
grand great, large
grandeur *f.* greatness, magnificence
grandir to become larger
grand-père *m.* grandfather
grand'tante *f.* great-aunt
grangère (*local word*) *f.* farmer's wife
gratifier to gratify, reward
graver to engrave
grêle *f.* hail; *adj.* shrill
grelot *m.* small bell
grêve *f.* beach
grincer to gnash, grate
gris gray
griser to intoxicate
gronder to growl, roar, scold
gros, -se large, big
grossier crude, rough
grotte *f.* grotto
guère scarcely, hardly
guéridon *m.* round table
guérir to cure
guérison *f.* cure
guerre *f.* war
guerrier warlike
guider to guide, lead

H

(aspirate *h* indicated by *)
habile clever
habiller to dress, clothe; **s'—** to dress oneself

habit *m.* clothes, apparel
habiter to inhabit, live in
***haine** *f.* hatred
haleine *f.* breath; **tenir notre appétit en —** to keep our appetite up
harmonie *f.* harmony
harmonieux harmonious, sweet, melodious
***hasard** *m.* chance
***hasardé** bold, risky
***hasarder** (se) to venture
***hâter** (se) to hasten
***hausser** to raise; **— les épaules** to shrug the shoulders
***haut** high, loud, aloud; *m.* top, height
***hé** oh; **— bien** well ! I say !
***hein** ! what !
hélas alas !
Héloïs *f.* Héloïse, the nun whom Abélard loved
herbe *f.* grass
hériter to inherit
héritier *m.* heir
héroïquement heroically
hésiter to hesitate
heure *f.* hour, time of day; **tout à l'—** presently, a little while ago; **sept —s** seven o'clock
heureux happy, fortunate, lucky; *noun* happy person
***heurter** to hit against, jostle
***hideux** hideous, horrible
hier yesterday
Hippocrate *m.* Hippocrates (Greek physician of the fifth century B. C., called the father of medicine)
histoire *f.* history
historiette *f.* little story, short tale
hiver *m.* winter
holà hallo ! stop !

homme *m.* man
honnête honest
honnêteté *f.* honesty
honneur *m.* honor, respect
*honte *f.* shame
*honteux ashamed
hôpital *m.* poorhouse
horloge *f.* clock
hôte *m.* guest, inhabitant
hôtel *m.* hotel, hall, public building
*housse *f.* saddlecloth
humain human
humeur *f.* humor, temper
humide wet
humiliant humiliating
*hurler to howl

I

ici here, now; —-bas here below, on this earth
idée *f.* idea
idylle *f.* idyll (description of simple pastoral scene or events)
if *m.* yew-tree
ignorance *f.* ignorance, mistake
ignorer to be ignorant of, ignore
île *f.* island
illustre famous
illustrer to make famous
imagination *f.* imagination, fantastic idea
imiter to imitate
immodéré immoderate, violent
immortalité *f.* immortality
immortel, –le immortal
impertinent impertinent, irrelevant; *noun* impertinent, rude person
impétuosité *f.* impetuosity, vehemence
impitoyable pitiless

implorer to implore, beg
importuner to bother, trouble
imposer to impose
imprimer to print
impur impure, wicked
incliner to incline, bend over
inconnu unknown
Inde *f.* India; les —s India, the Indies
industrie *f.* industry
inépuisable inexhaustible
infâme *m.* wretch, villain
infamie *f.* infamous action, wickedness
infini infinite, endless
infirmité *f.* illness, weakness
ingérer to introduce; s'— to intrude
ingrat ungrateful
injure *f.* injury, insult
injurier to insult
inquiet restless, uneasy
inquiétude *f.* uneasiness, anxiety
insensé senseless
insensiblement insensibly, gradually
insociable unsociable
insolence *f.* rudeness, insolence
insolent *m.* insolent, rude person
inspirer to inspire
instruction *f.* instruction; ministre de l'— publique minister of Public Instruction (now called minister of National Education)
instruire to instruct, inform
instruit informed
insulter to insult
intérêt *m.* interest
intérieur interior, inner
interroger to question, consult
inutilement uselessly
invention *f.* invention, device, trick

investir to lay siege, surround
irriter to irritate, anger
isolé isolated
Italie *f.* Italy
ivre intoxicated
ivresse *f.* intoxication, rapture
ivrogne *m.* drunkard

J

jadis formerly, of old, of yore
jalousie *f.* jealousy
jaloux jealous; *noun* jealous person
jamais ever, always, never; **à tout —** forever
jambe *f.* leg; **à — de bois** with a wooden leg; **à mi-—** halfway up the leg
janvier *m.* January
jardin *m.* garden; **— des Plantes** botanical and zoölogical garden of Paris
jargon *m.* jargon, language
Jehanne *f.* Joan of Arc
jeter to throw, toss, cast
jeu *m.* game, trick, sport; **— de théâtre** pantomime
jeune young
jeûner to fast, refuse food
jeunesse *f.* youth
joaillier *m.* jeweler
joie *f.* joy
joli pretty
joue *f.* cheek
jouer to play
jouir to enjoy, have a good time
jouissance *f.* enjoyment
jour *m.* day; **tous les —s** every day
journal *m.* newspaper
journée *f.* day, length of day
juge *m.* judge
jugement *m.* judgment

juger to judge
juillet *m.* July
jument *f.* mare
jupe *f.* skirt
jurer to swear, promise; **— avec** to contrast strongly with
jusque, jusques even, up to, until
juste just; **au —** exactly; *adv.* precisely
justement exactly, justly

L

là there; **c'est —** there is, that is; **par —, de —** by that, in that way
laborieux laborious
labyrinthe *m.* labyrinth; small hill in the Jardin des Plantes
lac *m.* lake
lâche *m.* coward
lâcher to let go of, release
là-dessus upon that point, thereupon
laideur *f.* ugliness
laine *f.* wool
laisser to leave, let, permit, abandon
lampe *f.* lamp
langage *m.* language, speech; **tenir ce —** to speak in this way
langue *f.* tongue
langueur *f.* weariness, languor
lapin *m.* rabbit
laquais *m.* lackey, menial servant
large wide, great, broad, large
larme *f.* tear
las alas !
lauréat *m.* prize-winner
laurier *m.* laurel (symbol of victory)

laver to wash
leçon *f.* lesson
ledit, ladite, lesdits, lesdites the above-mentioned
léger light
légion *f.* legion, host
législateur *m.* legislator
lendemain *m.* next day
lent slow
lentement slowly
leste nimble, active
lettre *f.* letter
lever to raise, rise; **se —** to rise, get up
lèvre *f.* lip; **que mes lèvres ne sont-elles pas?** why are my lips not?
Liban *m.* Lebanon (mountain range in Syria)
libéralement liberally
liberté *f.* liberty, freedom, license
libre free
licence *f.* license, permission
lier to join, tie; **être lié avec** to be intimate with
lieu *m.* place; **donner —** to give occasion; **au — que** whereas; **au — de** instead of
lieue *f.* league (about two and one-half miles)
ligue *f.* league, alliance
linge *m.* linen (of household)
lire (**lu**, *past participle*) to read
lis *m.* lily
lit *m.* bed; **— de jour** day-bed
littérature *f.* literature
livide livid, lead-colored
livre *m.* book
livrée *f.* livery
livrer to deliver, give up; **se — à** to give oneself up to, devote oneself to
logement *m.* dwelling, residence

logis *m.* dwelling, house
loi *f.* law
loin far; **au —** in the distance; **de —** from a distance
lointain distant, remote
Londres *m.* London
long, -ue long; **le — de** along; **à la longue** in the end
longtemps a long time
lors then
lorsque when
louange *f.* praise
louer to rent
louis *m.* louis (French gold coin worth about four dollars)
loup *m.* wolf
lourd heavy
luisant glistening, shiny
lumière *f.* light
lundi *m.* Monday
lune *f.* moon
luxe *m.* luxury

M

madame *f.* madam, lady, Mrs.
mademoiselle *f.* young lady, Miss
magistrature *f.* magistracy; **à la — près** with the exception of the magistracy
magnifique magnificent, splendid
main *f.* hand; **à la — in** his hand
maintenant now
mais but; **— oui** yes indeed
maison *f.* house, home
maître *m.* master
maîtresse *f.* mistress, sweetheart
majesté *f.* majesty
mal *m.* evil, harm, sickness, misfortune; *adv.* poorly, bad, bad-looking
malade sick; *noun* sick person
maladie *f.* sickness, illness

malavisé imprudent, indiscreet

malgré in spite of

malheur *m.* unhappiness, misfortune

malheureusement unfortunately

malheureux unfortunate, unhappy; *noun* unfortunate, unhappy person

malignité *f.* evil, malignity

maltraiter to abuse, mistreat

manchette *f.* cuff

mander to send for

manger to eat

manière *f.* manner, way

manifester to manifest, show

manoir *m.* manor, ancestral home

manquer to fail, lack, miss; **ce qui leur manque** what they lack

mansarde *f.* garret (under a mansard roof)

manteau *m.* cloak, coat; **— de la cheminée** mantelpiece

marâtre *f.* step-mother

marbre *m.* marble

marchand *m.* merchant

marchander to bargain

marche *f.* walk

marcher to walk, march, go

maréchal *m.* marshal (highest military rank in France)

mari *m.* husband

mariage *m.* marriage

marier to marry; **se —** to get married

marin marine, of the sea

maritime naval, maritime

marquer to mark, indicate

martyre *m.* martyrdom

matière *f.* matter, subject

matin *m.* morning; **plus —** earlier in the morning

maudire to curse

mauvais bad, wicked

maxime *f.* maxim, pithy saying

médecin *m.* doctor

médecine *f.* medicine

médicamenter to doctor

meilleur better, best

mêler to mix; **se — de** to attend to, undertake, try; **de quoi vous mêlez-vous ?** what business is it of yours ?; **mêlez-vous de vos affaires** mind your own business

membre *m.* member

même *adj.* same; *adv.* even, also; **de —** likewise; the same; **moi-—** myself

mémoire *m.* memoir

mémoire *f.* memory; **leur revenaient en —** came to their minds

menace *f.* menace, threat

ménage *m.* household

mener to take, lead, guide

mentir to lie, tell an untruth

menton *m.* chin

mépriser to despise, scorn

mer *f.* sea

mercenaire mercenary

mère *f.* mother

mérite *m.* merit, worth

merveille *f.* wonder, miracle

merveilleux marvelous, wonderful

mesuré measured

méthode *f.* method

métier *m.* business, trade

mettre (**mis**, *past participle*) to put; **se — à +** *infinitive* to begin to; **s'il se le met en fantaisie** if he takes it into his mind

meuble *m.* piece of furniture

meute *f.* pack (of dogs)

midi *m.* noon

mie *f.* darling, dear

mieux better, best; aimer — to prefer; d'autant mieux que so much the better because

mignon, –ne delicate, pretty, dainty; f. darling

mi-jambe see jambe

milieu m. middle; au — de in the midst of

militaire military; m. soldier

milord m. lord

mine f. appearance, manner, face

ministère m. ministry

ministre m. minister, member of cabinet

minuit m. midnight

misère f. misery, poverty, trouble; air — comme tout poverty-stricken air

mitraille f. grape-shot (for cannon)

mode f. manner, fashion; à la — in style

modeste modest

modestie f. modesty

moindre less, least

moine (moyne, old form) m. monk

moins less, least; au — at least

mois m. month

moitié f. half; ma chère — my dear wife (better half)

monarque m. monarch

monde m. world; tout le — everybody

monsieur (messieurs, pl.) m. mister, sir, gentleman

monstrance f. demonstration, lesson

monstrueux monstrous, terrible

mont m. mount, hill, mountain

montagne f. mountain

monter to mount, climb, bring up, wind (a watch); — en croupe to ride behind another person

montre f. watch

montrer to show, demonstrate

moquer to ridicule, mock; se — to joke; se — de to make fun of

morceau m. piece, morsel

morne gloomy, mournful

mort dead; m. dead person; f. death

mot m. word

mou, molle soft, mellow

mouche f. fly

moucher to wipe the nose

mouchoir m. handkerchief

mouiller to wet; se — to get wet

mourir (mort, past participle) to die

moyen m. means, way, power, ability; adj. average, middle

muet, –te dumb, mute

mugir to roar

multiplier to multiply

mur m. wall

mûr ripe

murmure m. murmur

murmurer to murmur

N

naïf, naïve simple, artless

nain m. dwarf

naissance f. birth

naître (né, past participle) to be born

naïveté f. innocence, simpleness

narguer to defy

naturel, –le natural; noun native

ne no, neither, not; — ... pas not

néant m. nothingness

nécessaire necessary

nécessité f. necessity

nécessiteu–x, –se *m.*, *f.* needy
person, pauper
négoce *m.* business
négociant *m.* merchant
neige *f.* snow
net, –te clean, clear; **mettre au
net** to clear up, put in order
neuf, neuve new
nez *m.* nose
nicher to lodge
Nicolas de Patras *m.* Nicholas
(an early Christian martyr
who gave gifts to the poor)
nier to deny
noctambule moving about by
night
noir black
nom *m.* name
nombre *m.* number
nombreux numerous
nommer to name
non no; — **pas** not at all
nord *m.* north
nourrice *f.* nurse
nourrir to nourish, feed
nourriture *f.* nourishment
nouveau, nouvelle new; **de
nouveau** again, anew; **les
nouvelles** news
nouveauté *f.* newness
noyau *m.* stone (of fruit)
noyer to drown
nuage *m.* cloud
nuire to harm
nuit *f.* night
nul, –le no, not any
nullement not at all, by no
means
numéro *m.* number

O

o, ô, oh oh !
obéir to obey

objet *m.* object, thing
obliger to oblige, force, be under
obligation
obscur dark, gloomy
obscurité *f.* obscurity, gloom
observer to observe
obtenir to obtain
occuper to occupy
odeur *f.* odor, smell
odieux hateful, disagreeable
œil (yeux *pl.*) *m.* eye
officiel, –le official
offrir (offert, *past participle*) to
offer
oiseau *m.* bird
oisiveté *f.* idleness
ombrage *m.* shade, shadow
ombre *f.* shadow
on one, somebody, we, they
oncle *m.* uncle
onde *f.* wave
ongle *m.* nail, claw
onguent *m.* ointment
opérer to operate
opposer to oppose; **s'—** to be
opposed, resist
oppresser to oppress, deject
or but, now, well
or *m.* gold
orage *m.* storm
ordinaire ordinary, usual; **à
votre —** as is customary with
you
ordonnance *f.* order, prescription
ordonner to order, command
ordre *m.* order
ordure *f.* dirt; **les —s** garbage
oreille *f.* ear
orfèvrerie *f.* jewelry (wrought
by the goldsmith)
orgueil *m.* pride
orgueilleux proud
orner to adorn, decorate
oser to dare

ôter to take off, remove, take away

ou or, either

où where, to which, in which

ouais ! well now ! come, come !

oublier to forget

ouest *m.* west

oui yes

ouïr to hear

ours *m.* bear

outre beyond; **d'—-tombe** from beyond the tomb

ouvert open, frank

ouvrir to open

P

pacifique peaceful

paille *f.* straw

pain *m.* bread

paisible peaceful

paître to graze, feed; **envoyer — to** send away

paix *f.* peace

palais *m.* palace

Palatin *m.* Palatine (one of the famous seven hills of Rome)

pâlir to grow pale

palme *f.* palm, victory, branch of tree

palmier *m.* palm-tree

panier *m.* basket

papier *m.* paper

par by; **—-ci, —-là** here, there

paradis *m.* paradise; **— terrestre** Earthly Paradise, Garden of Eden

paraître (**paru,** *past participle*) to appear, seem to be

parbleu upon my word !

parce que because

parchemin *m.* parchment; (*pl.*) titles of nobility

par-dessous under, beneath

par-dessus over, above

pardonner to pardon

pareil, –le like, similar

pareillement likewise

parent *m.* relative, parent

parer to decorate, adorn

parfait perfect

parfois sometimes

parfum *m.* perfume

parlement *m.* Parliament, court

parler to speak

parmi among

parole *f.* word, sentence, speech

part *f.* part, portion; **à —** aside, apart

partager to share

parti *m.* party, resolution

particularité *f.* peculiarity, particularity

particulier special, extraordinary, peculiar; *noun* private individual

partie *f.* part, diversion; **— de chasse** hunting party

partir to part, divide; leave, depart

partout everywhere

parure *f.* ornament, finery

pas *m.* step; *adv.* not, no

passage *m.* passage, passing; **se tenir sur son —** to wait for him to pass

passager short-lived, momentary

passé *m.* time past

passer to pass, surpass, pass on; **se —** to pass away; **se — de** to do without

paternel, –le paternal, fatherly

patriarche *m.* patriarch

pauvre poor; *noun* poor person

pauvreté *f.* poverty

pavé *m.* pavement

payement *m.* payment

payer to pay
pays *m.* country, land
peau *f.* skin
peccant morbid, unhealthy
pêche *f.* fishing
péché *m.* sin
peigne *m.* comb
peigner to comb
peindre to paint
peine *f.* trouble, pain, sorrow;
   ne vous mettez pas en —
   don't be disturbed about that;
   à — scarcely, hardly
pencher to bend, incline
pendant during
pendard *m.* rascal, rogue
pendre to hang
pénétrer to penetrate
pénible painful
pensée *f.* thought
penser to think; *m.* thought
Pensylvain *m.* Pennsylvanian
Pensylvanie *f.* Pennsylvania
percer to pierce
percher to perch
perdre to lose
père *m.* father
perron *m.* flight of steps (before
   a house), porch
perroquet *m.* parrot
perruque *f.* wig
persan Persian
persécuter to persecute
personne *f.* person; **ne . . . —**
   m. nobody
persuader to persuade, convince
peste *f.* plague, pestilence; **—**
   soit le coquin plague upon the
   rascal !
pétiller to crackle
petit little, unimportant; *noun*
   small, unimportant person
peu little, few; **à — près** very
   nearly; **— à —** little by little

peuple *m.* people
peupler to people, inhabit
peur *f.* fear; **avoir —** to be
   afraid
peut-être perhaps
phénix *m.* phœnix (mythological
   bird)
Philadelphie *f.* Philadelphia
philosophique philosophical
pied *m.* foot, leg (of table)
pierre *f.* stone, gem
piété *f.* piety
pieux pious
piller to plunder
pin *m.* pine-tree
pire worse, worst
pitié *f.* pity
place *f.* place, spot, ground
placer to place
plafond *m.* ceiling
plaid *m.* pleading (in lawsuit)
plaindre to pity; **se —** to com-
   plain
plaine *f.* plain
plainte *f.* complaint, lament
plaire to please; **plaise (plût)**
   à Dieu may it be God's will,
   would to God; **s'il vous plaît**
   please
plaisant comical
plaisanterie *f.* jest, joke
plaisir *m.* pleasure, delight
plancher *m.* floor
plein full
pleurer to weep
pleuvoir to rain
pli *m.* fold, wrinkle
plier to bend, fold
plomb *m.* lead
plonger to plunge, dip
ployer to bow, bend over
pluie *f.* rain
plumage *m.* plumage, feathers
plupart *f.* most, most part

plus more, most; **ne ... —** no more, not any more; **non ... —** either (*used after negative*); **au —** at the most

plusieurs several

plutôt rather, sooner

poche *f.* pocket

poids *m.* weight; **de —** full weight

point *m.* point, dot; **ne ... —** not at all; **— du tout** by no means

pointu pointed

poire *f.* pear

politique *f.* politics; *adj.* political

port *m.* harbor

portant bearing; **bien —** in good health

porte *f.* door

porter to wear, carry, convey; **se —** to be (in health)

poser to place, put

posséder to possess

postérité *f.* posterity, descendants

posture *f.* posture, attitude

potager *m.* vegetable garden

poudré powdered

pouls *m.* pulse

pour for, in order to; **— que** so that, in order that

pourpre, pourpré crimson, purple

pourquoi why

pourtant however

pourvu que provided that

pousser to push, utter

poutre *f.* beam

pouvoir (pu, *past participle*) can, to be able; **se peut-il?** can it be ?; *m.* power

pratiquer to practice

précepte *m.* precept, rule

précieux precious, valuable

précipitamment hurriedly

précisément exactly

prédication *f.* preaching

préfecture *f.* prefecture; **— de police** office of the chief of police

préférer to prefer

premier first

prendre (pris, *past participle*) to take, get; **vous en — à moi** to lay the blame on me; **l'y —** to catch him at it; **— garde à cela** to mind that, take heed of it; **comment il s'y faut —** how one must go about it; **comment ils s'y prenaient** how they went to work; **— son parti** to make up one's mind; **il me prend** there comes over me

préparer to prepare

près near; **— de** near

présent *m.* present, present time; **à —** at the present time

présenter to present

presque almost

presser to hurry

prêt ready

prétendre to pretend, claim, maintain

prétendu pretended, so-called

prêter to lend

prêteur *m.*, **prêteuse** *f.* lender

prétexte *m.* pretext, pretence

prêtre *m.* priest

prier to beg, pray, entreat, invite

prière *f.* prayer

principal *m.* principal, capital (money)

printemps *m.* springtime

prisonnier *m.* prisoner

privauté *f.* familiarity

prix *m.* price

procédé *m.* proceeding, conduct
procéder to proceed
prochain near, next
procurer to procure, get
profession *f.* profession, business
profond deep, profound, vast
profondément deeply, profoundly
proie *f.* prey, booty
projeter to plan
promenade *f.* walk
promener to take for a walk, carry; se — to take a walk, walk about, wander
promettre to promise
prompt prompt, rapid
promptement promptly, quickly
prophète *m.* prophet
propice favorable, kind
proposer to propose, suggest
propriété *f.* property, estate
prosterner to prostrate, bow low
province *f.* province, country
prudemment discreetly
publique public
puis then, next
puisque since
puissance *f.* power, force
puissant powerful
puisse *present subjunctive of* **pouvoir**
punir to punish
pur pure

Q

quai *m.* wharf, quay
qualité *f.* quality
quand when
quant à as for
quantité *f.* quantity
que that, which; as, than; lest; what ?; — **vous êtes joli !** how pretty you are !;

ne ... — only; — **vous ne preniez chacun** unless you each take
quel, –**le** what, which
quelque some, any, several; whatever; — **chose** something
quelquefois sometimes
quelqu'un someone
quereller to quarrel with, scold; se — to quarrel
querelleu–r, –**se** quarrelsome; *noun* quarreller
quérir to fetch
queussi queumi (*familiar*) six of one and a half dozen of the other
quiconque whoever
quitter to leave
quoi what, which; **avoir de —** to have enough; **je ne sais —** indefinable something
quoique although

R

racine *f.* root
ragaillardir to enliven
raiant (**rayonnant,** *modern French*) beaming, radiant
raillerie *f.* jesting
raison *f.* reason, judgment; **avoir —** to be right
raisonnable reasonable
raisonnement *m.* reasoning
raisonner to reason, answer, talk upon
rajeunir to make young again
ramage *m.* singing, warbling
ramener to bring back, restore
rameur *m.* rower
rampe *f.* banisters
ramper to crawl
ranger to put in order, reduce, subdue

rapide rapid, swift
rapidement rapidly
rappeler to recall; se — to remember
rapporter to bring back, return, yield; se — to correspond, agree
rapprocher to bring near; se — de to come near to, approach
rassembler to bring together again
ratine *m.* ratteen (coarse woolen fabric)
ravaler to lower, swallow again, disparage
ravi delighted, charmed
ravir to carry away, rob
rayon *m.* ray
recevoir to receive
rechercher to seek after, seek again
recommencer to begin again
récompense *f.* reward
reconduire to reconduct, accompany
reconnaître to recognize
recourber to bend back
recouvrer to recover, get again
reculer to draw back, put off, postpone
redevenir to become again
redire to repeat
redouter to dread, fear
réduire to reduce
réel real
refaire to make again, do again
refermer to close again
réfléchir to reflect, meditate
réfléter to reflect
réflexion *f.* reflection, consideration
refrain *m.* refrain, chorus
refuser to refuse

regagner to regain, return to
regard *m.* glance, look
regarder to look, look at
règne *m.* reign
régner to rule, reign, preside, extend
regret *m.* regret, sorrow
regretter to regret
reine *f.* queen
relevé lofty, elegant
reluire to shine, glitter
remarquer to notice, remark
remède *m.* remedy, medicine
remener to come back, bring back
remercier to thank
remettre to put back
remonter to go up again, ascend
remplacer to replace
remplir to fill
renard *m.* fox
rencontrer to find, meet
rendre to render, return, give; se — to surrender, give up, betake oneself, go
rêne *f.* rein
renfermer to enclose, shut up
renforcer to strengthen, augment
renoncer to give up, renounce
renouveler to renew
rentrer to return, go in again
renverser to upset; se — to be overturned, be thrown down
renvoyer to send away, dismiss
répandre (se) to spread abroad, extend
réparer to repair
repas *m.* meal
repentir (se) to repent, be sorry
répéter to repeat
répondre to reply
reporter to take back
repos *m.* repose, peace

reprendre to take up again, reprove, reply, continue
représenter to represent
réserver to reserve, keep
résister to resist
résolu resolved, decided
résolution *f.* resolution, determination
résoudre to resolve, solve, decide upon; **s'y —** to make up one's mind to it
respecter to respect
respirer to breathe
ressentiment *m.* resentment
resserrer to draw together
ressort *m.* spring
ressource *f.* resource
ressouvenir (se) to remember again
reste *m.* rest, remainder; **de —** besides, nevertheless
rester to remain
restituer to restore, give back
retard *m.* delay
retenir to retain, detain
retentir to resound
retirer to withdraw, take away; **se —** to retire, leave
retour *m.* return
retourner to return, go back; **se —** to turn, take different steps
rétracter to retract, unsay; **se —** to retract, recant
retrancher to curtail, suppress
retrouver to find again, recover
réunir to unite, collect, assemble
réussir to succeed
rêve *m.* dream
revenir to come back, return; **me — au cœur** to lie heavily on my heart
rêver to dream, ponder
revoir to see again

rhabiller (se) to dress oneself again
riant laughing, gay
riche rich
richesse *f.* riches, wealth
ridicule ridiculous
rien *m.* nothing, anything; **comme si de — n'eût été** as if it had been nothing; **il n'y a — à dire** there is nothing more to be said
rigueur *f.* severity; **à la —** strictly
rire to laugh, jest, joke; **pour —** for a joke; **— de** to laugh at
risquer to risk
rivage *m.* shore
rive *f.* bank, shore
rivière *f.* river, stream; **— (de diamants)** diamond necklace
robe *f.* robe, dress, gown
roc *m.* rock
roche *f.* rock
rocher *m.* large rock, crag
roi *m.* king
rôle *m.* rôle, part
romain Roman; *f.* Roman woman
romance *f.* ballad, song
rompre to break
roseau *m.* reed
rosser (*familiar*) to thrash, beat
rossignol *m.* nightingale
rouge red
rougir to blush
rouiller to rust
rouler to roll
route *f.* way, route
royaume *m.* kingdom
rubrique *f.* method, rule, trick
rude rough, crude
rudement violently, severely, extremely
rue *f.* street

ruineux ruinous
ruisseau *m.* brook
rumeur *f.* confused noise, uproar

S

sabot *m.* whipping top
sac *m.* sack; — à vin sack of wine, drunkard
sache *present subjunctive of* savoir
sacré sacred
sage wise, good, virtuous
sagement wisely
sagesse *f.* wisdom
saint holy; *noun* saint
sainteté *f.* saintliness, holiness
Saint-Jean *f.* = *la fête de Saint-Jean,* Saint-John's Day (June 24)
saisir to seize, take possession; se — de to catch hold of
saison *f.* season
sale dirty
salle *f.* room; grand'— main living room, hall of manor; — à manger dining-room
salon *m.* parlor
saluer to greet, bow to
salutaire salutary, beneficial
samedi *m.* Saturday
sang *m.* blood
sans without; *conj.* — que without
santé *f.* health
sapin *m.* fir-tree
satisfait satisfied
sauter to leap, jump
sauterelle *f.* grasshopper, locust
sauvage wild, unsociable; *noun* savage
sauver to save
savant learned; *noun* scholar
savoir (su, *past participle*) to

know, know how to; je ne sais quoi indefinable something
savonner to wash with soap
savourer to relish, enjoy
science *f.* science, learning, skill
sec, sèche dry, gaunt
sécher to dry
seconde *f.* second
secours *m.* help, aid
secrétaire *m.* secretary
séduisant fascinating
seigneur *m.* lord, sir
séjour *m.* dwelling, abode
selon according to
semaine *f.* week
semblable similar, like
semblablement likewise, also
sembler to seem, appear
sens *m.* sense
sentiment *m.* feeling, sentiment
sentir to feel, smell; ne se sent pas de joie is overcome with joy
séparer to separate, divide; se — to separate, part company
sépulcral sepulchral, like the tomb
sépulture *f.* burial
serein calm, serene
sérieux serious
serment *m.* oath; prêter — to take an oath
service *m.* service; pour notre — in our service
serviette *f.* napkin
servir to serve; se — de to use
serviteur *m.* servant
seul single, alone, mere
seulement only, even, merely
si if; so; yes *(after negative)*; mais — yes indeed !
siècle *m.* century
siège *m.* seat

siffler to whistle

signe *m.* sign, indication

signifiance *f.* significance, sign, testimony

simplicité *f.* simplicity

singe *m.* monkey

singulier peculiar, curious

sinistre sinister, ominous, grim

sire *m.* sir, lord, sire

sirène *f.* siren, mermaid

sixième sixth; **jusqu'en —** as far as the sixth grade (in school)

Smyrne *f.* Smyrna (port in Asia Minor)

société *f.* society

sœur *f.* sister

soif *f.* thirst

soin *m.* care, trouble, skill

soir *m.* evening

soirée *f.* evening, duration of evening, party

soit (*present subjunctive of* **être**) should be, may be; granted, so be it ! **— que** whether; **— ... —** whether ... or

sol *m.* soil, ground

soldat *m.* soldier

soleil *m.* sun, sunshine

soliciter to solicit

solitaire *m.* hermit

sombre gloomy, sombre

somme *f.* sum

sommet *m.* top, summit

songer to think, consider, dream

sonner to sound, ring, announce

sort *m.* fate

sorte *f.* sort, way, manner; **de la —** like that

sortie *f.* departure, exit

sortir to go out, depart; **qu'on empêche qu'il ne sorte** have some one prevent him from departing

sot *m.* fool; *adj.* stupid, foolish

sottise *f.* foolishness, stupidity

sou *m.* sou, penny

souci *m.* care

soudain suddenly

souffle *m.* breath

souffler to breathe, recover the breath

soufflet *m.* slap

souffrant suffering, ailing

souffrir (**souffert**, *past participle*) to suffer, endure

souhaiter to wish

soûl drunk, satiated; **boire tout mon —** to drink to my heart's content

soulagement *m.* relief

soulager to relieve

soulever to raise

soumettre to submit

soupçon *m.* suspicion

souper to take supper; *m.* supper

soupir *m.* sigh

soupirer to sigh

source *f.* spring, source

sourd deaf

souriant smiling

sourire to smile; *m.* smile

sous under

soutenir to hold up, endure

souvenir (se) to remember; *m.* memory

souvent often

souverain sovereign, highest; *noun* sovereign, ruler

souverainement supremely, in the extreme

souveraineté *f.* sovereignty

spécifique specific, exact

spectacle *m.* spectacle, sight

spectre *m.* ghost

spirale *f.* spiral

spirituel, –le spiritual, intelligent, witty

stratagème *m.* strategem
stupéfait stupified, dumb-founded
stupide stupid
subsister to live, subsist
subtil subtile, delicate
succès *m.* success
sud *m.* south
suffire to be enough; **il suffit de l'habit** the clothes are enough
suivant following
suivre to follow
sujet *m.* subject; **avoir — to** have reason; **au — de** on the subject of
superbe superb, splendid
superposer to superpose, add
supplier to beseech, entreat
supporter to support, endure
sur on, upon, towards
sûr sure
surmonter to surmount, top
surprendre to surprise
surtout especially
sus on ! come !; *prep.* upon
suspendre to suspend, stop
syllabe *f.* syllable
sympathique sympathetic

T

tâcher to try
taciturne taciturn, silent
taire (se) to keep silent, stop talking
talent *m.* talent, ability
talisman *m.* talisman, charm
tandis whilst; **— que** while, whereas
tant so much, so long, so many
tantôt presently, just now; **— ... —** sometimes ... other times

tapisser to deck, hang, adorn
tard late
tarder to delay, be long
tâter to feel
taux *m.* rate of interest
teint *m.* coloring, complexion
tel, **–le** such, similar, like
tellement so much
témoigner to prove, show
témoin *m.* witness
temps *m.* time, weather; **de — en —** from time to time
tendre to extend
tendre tender, young
tendrement tenderly
ténèbres *f. pl.* darkness
tenir (tins, *preterite*) to hold, hold on, possess, consider, keep; **s'en — à** to stick to, remain content with; **tiens !** look ! take it !
ternir to tarnish, grow dull
terre *f.* earth, ground; **à — on** the ground
terreur *f.* terror, fright
tête *f.* head; **—-à-—** in a private conversation, alone
têtu stubborn, headstrong
théâtre *m.* theatre, stage
Tibre *m.* Tiber (river in Italy)
tigre *m.* tiger
tinter to ring
tirer to pull, take out, draw, shoot at
titre *m.* title, deed
toile *f.* cloth; **— cirée** oilcloth
toilette *f.* evening dress
toison *f.* fleece
toit *m.* roof
tombe *f.* tomb
tomber to fall
ton *m.* tone, manner
tonner to thunder
torchon *m.* dishcloth

torrent *m.* torrent, flood

tort *m.* wrong, injustice; **avoir —** to be in the wrong, be wrong

tôt soon, quickly

toucher to touch, approach, shake hands

toujours always, forever; **elle demandait —** she kept on asking

toupie *f.* top

tour *m.* turn; **faire un petit — de jardin** to take a little walk in the garden

tour *f.* tower

tourbillon *m.* whirlwind

tourbillonner to whirl

tourelle *f.* turret, little tower

tourner to turn; **se —** to turn around

tout all, every, each; quite, very; **— à fait** entirely, wholly, quite; **— en** while; **tous deux** both of us

toutefois nevertheless, however

trahison *f.* treachery, betrayal

traîner to drag, draw

traité *m.* treaty

traitement *m.* treatment

traître *m.* treacherous person, traitor

trajet *m.* journey, distance

tranquille calm, quiet

transformer to transform, change

transporter (**se**) to transport oneself, go

transposer to change, transpose

travail *m.* work

travailler to work

travers *m.* breadth; **à —** across; **de —** awry, askew

traverser to cross

trembler to tremble

tremper to soak

trépas (*poetical*) *m.* death

très very, most, very much

trésor *m.* treasure

triomphe *m.* triumph

triompher to triumph, exalt

triste sad

tristement sadly

tristesse *f.* sadness

troisième third

tromper to deceive; **se —** to be mistaken

trompeur *m.* deceiver, cheat

trône *m.* throne

trop too, too much, too many

trophée *m.* trophy

troubler to trouble, disturb

troupe *f.* troop

troupeau *m.* flock, herd

trouver to find; **se —** to be found, be

tuer to kill

tumulte *m.* tumult, noise

Turc *m.* Turk

tutoyer to address with the *tu* (thou) form

tyrannie *f.* tyranny

U

Ulysse *m.* Ulysses (Grecian hero)

uniforme *m.* uniform

universel, –le universal

urgent urgent, important

usage *m.* use, practice, experience, knowledge of world

user to use; **en —** to go about it

usure *f.* worn appearance; usury

usurier *m.* moneylender

utile useful

V

vague *f.* wave

vague vague, faint

vaisseau *m.* ship

vaisselle *f.* dishes

valet *m.* valet, servant; — de chambre valet

valeur *f.* value, worth

vallon *m.* small valley

valoir to be worth, deserve; cette leçon vaut bien this lesson is well worth

valser to waltz

vampire *m.* vampire, ghost (who sucks blood of persons asleep), blood-sucking bat

vaniteux *m.* vain person

vanter to praise; se — to boast

vapeur *f.* vapor

varlet *m.* page

vaste vast, immense

vécu *see* vivre

venant *m.* comer

vendre to sell

venger to revenge; se — to take vengeance, avenge

venir (vins, *preterite*) to come; à — in the future; — à + *infinitive* to happen to; — de + *infinitive* to have just; il est venu there has come

vent *m.* wind

venu *m.* comer; nouveau — newcomer

vêprée (*old form*) *f.* evening

verger *m.* orchard

véritable real, true

vérité *f.* truth

vermisseau *m.* small worm

vers *m.* verse

vers towards

verser to pour out

vert green

vertu *f.* virtue, quality

vêtement *m.* garment, clothing

vêtir to clothe; se — to dress oneself

viande *f.* meat

vice-amiral *m.* vice-admiral

vicomte *m.* viscount

victoire *f.* victory

vide empty

vider to empty; se — to get empty

vie *f.* life

vieillard *m.* old man

vieillesse *f.* old age

vieillir to grow old

Vienne *f.* Vienna (occupied by Napoleon's forces in 1805 and in 1809)

vierge *f.* virgin; la Vierge Mary, mother of Jesus

vieux, vieille old; *noun* old man, old woman

vif, vive lively, keen

ville *f.* town, city

vin *m.* wine

visite *f.* visit

visiter to visit, examine

visiteur *m.* visitor

vite quickly

vitesse *f.* speed

vitrail (vitraux *pl.*) *m.* stained-glass window

vivant living; *noun* living person

vivement keenly, vividly, quickly

vivre (vécu, *past participle*) to live

vocation *f.* vocation, calling

vœu *m.* desire, wish, marriage vow

voguer to sail, row

voici here is, here are

voilà there is, there are, that is; que — over there; — qui va bien that is going fine

voile *f.* sail

voir (vu, *past participle*) to see; voyons let us see; come now

voisin neighboring, adjacent; *noun* neighbor
voiture *f.* carriage
voix *f.* voice
vol *m.* flight
voler to fly; to steal
voleur *m.* thief
volière *f.* large cage for birds
volonté *f.* will, wish
volontiers willingly, gladly
vouloir to wish, be willing; **à qui en veulent ces gens?** whom are these people looking for?; — **dire** to mean; — **bien** to be willing, be eager to; **Dieu le veuille** may God will it; **ne veuillez point nier** please don't deny; *m.* wish, desire
voûté vaulted, arched
voyage *m.* journey, trip, voyage
vrai true, truly; **je sais de —** I know the truth
vraiment truly, indeed
vraisemblablement probably, evidently

Y

y to it, in it, there
yeux (*pl. of* œil) *m.* eyes

Z

zéphyr *m.* zephyr, gentle breeze